生きることの意味を問う哲学

Philosophy of the Meaning of Life

森岡正博対談集

戸谷洋志
小松原織香
山口尚
永井玲衣

森岡正博

青土社

目次

生きることの意味を問う哲学

森岡正博対談集

はじめに

古代ギリシアの哲学者プラトンの作品は、彼の先生であるソクラテスとその友人たちのあいだの対話によって進んでいく。それはまるで軽妙な舞台劇を見ているようであり、ユニークな人物たちの掛け合いを楽しんでいるうちに、謎のような哲学の問いが浮かび上がってくる。脚注も付いていないし、文献一覧も付いていないこれらの作品群が、その後、地中海からヨーロッパに向けて展開する哲学の基礎となった。

対話の形で作り上げられていく哲学は軽やかだ。現代においても、そういうものがあってほしい。プラトンの作品のように、舞台劇として上演できるような哲学が出てきてほしい。

私と対話をしてくれたのは、私よりもかなり若い世代の哲学者四人である。私はソクラテスと同様、若者と対話をするのが好きだから、とても楽しい時間を過ごすことができた。話されている内容は、現代の最先端の哲学である。と言っても、海外の有名な哲学者について話しているのではない。私たちが考えている内容それ自体が、最先端を走っているのだ。そしてなによりも、対談者たちの語り口が柔らかい。本書は、新しい哲学の世界をちょっと覗き込んでみたいと思っている読者たちにとって、良い入門書となるだろう。

第1章では、「人間は生まれてこないほうが良い」という反出生主義の哲学について考えた。第2章では、人が人に加害をする行為の倫理性について考えた。第3章では、戦後日本を代表する哲学者、大森荘蔵からのメッセージについて考えた。第4章では、対話によって進んでいく哲学で何が可能になるのかを考えた。第5章のエッセイでは、私にとって哲学するとはどういうことなのかを考えた。

現代日本の哲学は、きっとこれから面白いことになっていくはずだ。その予感を味わえる本になったと思う。

第1章

生きることの意味を問う哲学

×戸谷洋志

戸谷洋志
とや・ひろし

一九八八年生まれ。関西外国語大学英語国際学部准教授。現代ドイツ思想を中心にしながら、テクノロジーと社会の関係を研究している。また、「哲学カフェ」を始めとした哲学の社会的実践にも取り組んでいる。第31回暁烏敏賞受賞。著書に『ハンス・ヨナス 未来への責任——やがて来たる子どもたちのための倫理』（慶應義塾大学出版会）、『未来倫理』（集英社新書）、『スマートな悪——技術と暴力について』（講談社）などがある。

反出生主義とは何か

戸谷　デイヴィッド・ベネターは、おそらく二〇〇〇年代にロングフルライフ訴訟のなかで加藤秀一さんによって初めて日本に紹介され、その後、哲学的な視点からは森岡さんによって本格的に取り上げられました。森岡さんの取り上げ方は、ご自身の生命の哲学の構想のいわば仮想敵として、批判的にベネターを扱っていらっしゃるところが特徴だと思います。それから二〇一七年にベネターの『生まれてこないほうが良かった』（すずさわ書店）が翻訳されて、日本でもかなり議論が盛り上がってきました。早くからベネターに注目していらっしゃった森岡さんから見たいまの状況や、これまでの議論の変化についてまずはお伺いしたいと思います。

森岡　私はベネターに関する英語圏の議論をフォローしているわけではないのでいまの状況の全体像について多くのことは申し上げられませんが、『生まれてこないほうが良かった』はやはりインパクトが大きかったです。確かピーター・シンガーもあの本について議論していました。私自身の生命の哲学の中心的な課題としてここ一〇年か一五年ぐらいずっと考えているのは、生まれてきて本当に良かったと思えるにはどうすればいいかということを中心として哲学を作るべきだということです。つまり、『生まれてこないほうが良かった』はそれとは正反対なので、私のアンテナにひっかかったというわけです。ですので、いまおっしゃったように、ベネターの議論を仮想敵として、あるいは他山の石として置くことによって、生まれてきて本当に良かったと思えるための哲学とは何かということに、クリアな姿を与えられるのではないかとそのとき思いました。

ではなぜ生まれてきて良かったと思えるということを中心として哲学を作り直さなくてはいけないと思ったのか。一つは、現代の生命倫理学で議論が続いている選択的中絶の問題があります。胎児が障害を持っているという理由で中絶することを肯定してよいか、という大変な難問です。もし、障害があることを理由に中絶するのが良くないのだとすれば、それは中絶一般に対してもノーというのかということになり、ここには大きなアポリア（難問）がひそんでいます。この問題をより形而上学的に一般化したものとして、ベネターの問いが挙がってきているというのが一つの道筋です。もう一つ、私自身の問題というのがあり、それは私の生い立ちと関係します。これはいままであまり多くは言ってきませんでしたが、自分自身が成長期のなかで愛情の名のもとに条件付けをされてきたという思いが強くあります。簡単に言うと、「成績が良かったら愛してあげる」といったメッセージのもとで育ってきた。当時はそのこと自体のインパクトはよくわからなかったけれど、大きくなるとやはり呪いのようになってくる。それがもう一歩進むと、自分のなかで、「もし自分がいい成績を取れなくなったら自分は愛を与えられる価値がない存在だ」という考え方になっていきます。そのさらにもう一歩先にあるのは、「こんな私だったら生まれないほうが良かった」という思いです。そこに落ち込んでしまう。同じ思いを植えつけられていた人はすごく多いと思いますけど、私自身にとってもなんとか自分の問題としてそれを解決せざるをえないというのがわりと深いところにありました。大人になってからもその命題が繰り返し私のなかに出てきて、「こんな私だったら宇宙に生まれてこないほうが良かったんじゃないか」と思ってしまう。宇宙というのが大げさすぎるとすると、たとえば社会でもいいです。自分が生まれてきて生活するなかで、多くの人、とくに親しい人、自分が大切な人を傷つけてきていると考えるたびに、私は生まれてこなければ良かったと強く思います。ですから反出生主義の問題というのは、私にとっては論理ゲームではない。たしかに分析哲学的に考えると論理ゲームとして面白いですよ。だけどそれだけではなくて、自分の実存の問題だというのがある。だからそれを正面から自分の問題として取り上げて、突破していかなければいけないという思いが強かった。そこにきて、その問題をクリアな形で提出したベネターの著作が出てきたというわけです。戸谷さんはいかがですか。

戸谷　正直に言うと、『生まれてこないほうが良かった』の翻訳が出るまではあまりベネターに関心を持ったことはありませんでした。吉本陵さんのヨナスとベネターを比較する論文（「人類の絶滅は道徳に適うか？——デイヴィッド・ベネターの「誕生害悪論」とハンス・ヨーナスの倫理思想」『現代生命哲学研究』第三号、二〇一四年）など、ヨナスの先行研究を調べるうちにベネターを知ったので、森岡さんほど早くから注目していたわけではありませんでした。ただその頃から徐々に、反出生主義に対していわゆる出生主義の立場に立つ哲学者としてヨナスが——これはおそらく日本のなかだけだと思うのですが——注目されてきて、ヨナスの研究者として反出生主義についてどう思うかを聞かれることが多くなり、それからベネターについて真剣に考えるようになりました。

現在、世界的に反出生主義が置かれている議論の文脈はどちらかというと分析哲学系、英米哲学系に寄っていると思いますが、もともと僕はヨナスを研究していたということもあって、とくに戦後のドイツ語圏やユダヤ系の哲学に関心がありました。そこで反出生主義のことを頭に置いてもう一度ヨーロッパの現代思想を眺めてみると、とくにユダヤ系の哲学者のなかに出生主義の立場に立つ哲学者が多いことに気づき、最近はその意味についてよく考えています。先ほど「社会にとって自分は生まれてこないほうが良かったんじゃないか」という森岡さんのお話がありましたが、まさに第二次世界大戦後のユダヤ系の哲学者たちが直面していたのは、いわゆるナチズム、全体主義のなかでユダヤ人たちが強制不妊手術を受け、出生を否定されていたという歴史です。そういう状況のなかで、それでも新しい子どもの誕生をどう肯定するのか、ということが、彼ら・彼女らの一つの課題であったように思えます。

森岡　ハンナ・アーレントは出生の問題について言及していますね。

戸谷　その通りです。アーレントは『全体主義の起源』のなかで、全体主義の一つの本質的な脅威を、それが出生を否定するという事態のうちに見出しています。彼女によれば「出生」とは、新しい活動を始めること、既存の秩序に対して違うものを打ち立てる能力の条件に他なりません。だからこそ全体主義は出生を否定するわけです。それに対してアーレントは、出生を肯定することで政治的な公共性を作り出し、それによって全体主義を克服する可能性に希望を託しています。また、こうした彼女の考え方にヨナスもかなりの影響を受けています。彼は人類の存続への責任を訴えていますが、それが全体主義によって管理された人間の繁殖であってはだめで、新しい世界を作り上げていくことのできる多様な人間が生まれてこなければならない、そうした可能性を開き続けることが未来世代への責任である、と主張しています。こうしたヨナスの哲学も、いわゆる戦後のユダヤ思想の傾向としての、出生主義の一つかと思います。

森岡　いま、ヨナスやアーレントといった戦前戦後のユダヤ系の哲学者の話が出ましたが、彼らをベネターと対比して図式的に整理するのは面白いですね。一方にその代表の一人としてヨナスを置いて、もう一方に分析系のなかでクリアな議論をしているベネターがいる。

ベネターは、意識のある存在は生まれてこないほうが良いということを論証できると主張しています。ベネターはそれへの反論に対して、すべて自分のパラダイムのなかで再応答している。ですから、彼の土俵に乗った議論をしているだけでは、彼のパラダイムは崩れない。それに唯一対抗できるかもしれないのが、私はヨナスだと思っています。なぜかというと、ヨナスはベネターの土俵に乗らないからです。つまり、ヨナスの場合は、出生しなければならないというのは命法、つまり命令です。その命令を受け取るか受け取らないかという実存的な選択をするのが彼の哲学の根本にあるものだと思います。つまり、ベネターの土俵に乗らずに、彼とは違う土俵を設定しているのがヨナスであって、そこで初めてベネターと綱引きできるという形になっているように私には見えます。ただヨナスもヨナス的な一つのパラダイム設定をしているわけだから、今度はヨナスのパラダイムをどう考えるかという議論が出てきます。ヨナスの土俵に乗ってしまうと、今度はヨナスの土俵から外に出られないということになります。そのあたりはベネター的な世界とヨナス的な世界の通約不可能性（互いに相手を理解できないこと）が、メタ的に見てみると面白いと思います。

「生まれてこないほうが良かったのか」という問いの意味

森岡　私と蔵田伸雄さんを中心にここ数年間、人生の意味の哲学の国際的なネットワーク作りを始めていて、その一環でベネターとサディアス・メッツを北海道大学に招聘しました（第一回「人生の意味と哲学」国際会議、二〇一八年）。そのとき初めて私はベネター本人に会っていろいろ話をしました。彼は本を書いたり、講演をしたりするときはすごく極端で、徹底的にネガティブなことばかり言うのですが、実際に会ってみると非常に話好きで、まめな人です。この人が本当にあんな主張をしているのかと思うぐらい、いいやつです。ただ私がベネターについて結局よくわからないのは、生まれてこなければ良かったという主張を、彼がどこまで彼自身にとっての実存的な問題として主張しているのかということです。反出生主義に対する批判への彼の応答を聞いていると、やはりどこか分析哲学の知的なゲームとして捉えている面があるような気もします。彼にちゃんと聞かなかったのでそこはわかりませんが。ただ、これはけっこうやっかいな問題だと思います。「生まれてこないほうが良かった」と論理的に言えるか言えないかということは、それだけ取り出してみればこれは非常に知的なパズル解きですよね。ただ、みんなでこのパズル解きに熱中して、この問題をそういう方向へ押し進めていったら、本当にこの問題を実存的な自分の問題として抱え込んでいる人たちにとっては、強い言葉を使わせてもらえば、自分たちが侮辱されているような気になると思います。なので、この「生まれてこないほうが良かった」という問題設定のなかには、哲学的なパズル解きという面と、自分の人生の根本に突き刺さってくる、本当に切羽詰まった実存的な問題であるという面があります。この二つをいったいどういう距離感をもって我々は考えたり議論したりしていけばいいかを、私は考えています。

戸谷　まさに私もそこが、ベネターとその周辺にいる分析哲学者たちの意見を聞きたいところです。ベネターは『生まれてこないほうが良かった』のなかで、多くの人は自分の人生に満足しているだろうと言います。僕はそれには全然同意できなくて、むしろ生まれてこないほうが良かったという悩みを抱えている人はかなり多くいると考えているので、その認識のずれがどこから来るのかはすごく不思議に思います。日本だけがそうで、海外では状況が異なるのかは、僕にはわかりませんが、日本での近年の反出生主義の受容のされ方を見ていくと、そこには少なからぬひずみがあるような気がしています。研究者のなかでは論理的なパズルとして好奇心を持たれている側面もあると思いますが、一方では、自分の人生に苦悩してベネターの本に手を伸ばすという読者も多数いるでしょう。ただ、そうした読者の望んでいるものが本当にそこに書かれているかといったら、おそらく書かれていないだろうという気がします。

森岡　ベネターはこの世で生きることは痛みを伴い、痛みがあるというのは害だという話をします。そのときに彼は「ほら世界中を見渡してごらんなさい。飢餓がある、戦争がある、暴力がある、こんなに痛み、苦しみが地球上に蔓延しているだろう」ということを強調して、こんなところに新たな生を出生させるのはどうなのかという議論をするわけです。その議論は読者の感情に訴えるもので、「たしかにそれはそうだ」と思ってしまう。だけどベネターの議論の独自性は実はその部分にあるわけではない。むしろ次の主張、すなわち、たとえ人生にいくら快が多くあったとしても、人生のなかに痛みがほんの一滴でもあっただけで、生まれてこない良さのほうが、生まれてきた良さよりも勝ってしまう、と彼は主張している。この点こそが、彼の主張の核心です。ところが、この点ですら、すでにショーペンハウアーが『意志と表象としての世界』のなかで、彼なりに言いつくしていて、ベネターの主張の思想内容そのものにオリジナリティはないと思います。しかしショーペンハウアーがレトリカルにしか言えなかったことを、ベネターは近年の分析哲学の手法や知見を用いて論理的に言おうとした。この一点が私はベネターの業績だと思います。

ですから、ベネターに対して哲学的にどう評価するかということに関しては、二種類あります。一つは、彼の論理的な論証に穴があるかないかということをどう調べるか。二つ目は、彼の思想内容をどう評価するのか。この二つを私は分けておいたほうがいいだろうと思います。一つ目の彼の哲学的論証に関しては、私は成功していないと思うし、多くの哲学者が成功していないと言っています。ただベネター本人は、「いや成功しないと言っているあなたの論理が間違っている」と必ず言うので、これは水かけ論になっていきます。

もう一つの彼の思想内容に関して、私は評価できる部分がひとまず二つあると思います。一つは「生まれてこなければ良かった」とか、「生まれてきて良かった」という「生まれてくることの価値」の問題を分析哲学の土俵に乗せたという功績です。ベネター登場以前には少なくとも分析哲学のなかではこの問題は大きなトピックとして扱われていませんでした。ベネターの登場によってこれが分析哲学のなかで議論すべき点として再認識させられ、二一世紀にそれがさざ波のように広がりました。これは私たちが取り組んでいる「人生の意味の哲学」というジャンルを分析哲学のなかに生み出しつつある流れにつながっていますから、評価したいと思います。もう一つ彼の思想内容で私が評価したいのは、「我々はいったいどのような理由で新たな人間の命をこの世に生み出していいと言えるのか」という問題が重要な問いとして出されていることです。ベネターはこの問題を考えなければいけないと言っていて、私もそうだと思います。簡単に言うと、どうして我々は子どもを生んでいいのだろうか、ということです。親が子どもを生むとき、子どもを一方的に作っているわけですが、それは生まれてくる子にしてみれば暴力です。誰も「生まれてきたいです」と言って、その声を聞いた親が「じゃあ生みましょう」と生むわけではありません。出生はつねに出生させる側の暴力として、ある存在を地上に生み出す構造になっている。そのことに正当性はあるのかとベネターは問うています。私はベネターの「生まれてこなければ良かった」の理論よりも、この問いのほうが重要なのではないかという気が最近はしています。その点についてはどう思いますか。

戸谷　近現代の哲学史を眺めてみると、ショーペンハウアーを非常に大きな例外としながらも、やはり基本的に多くの哲学者は子どもの誕生を無条件に肯定的に捉え、いうなれば希望の象徴として語ってきたように思います。たとえば、先ほど挙げたアーレントの出生概念はもちろんそうですし、エマニュエル・レヴィナスもそうです。彼は『全体性と無限』のなかで「繁殖性」という概念を出し、「私」が子どもを生んで、その子どもが他者であると同時に「私」であると解釈し、「私」がそうした仕方で無限の時間を生きうることを「父性」と呼んでいます。レヴィナスにとって繁殖性は他者への無限責任から要請される概念ですが、ここには、子どもを産むことを道徳的な行為として捉える眼差しが示されているといえます。それに対して一石を投じたのがベネターで、一つの問題圏を開いたという点で私も評価しているところです。こうした、子どもをある意味で特権化する思想に対する批判として、別の文脈では、リー・エーデルマンというクィア理論の思想家が、著書 *No Future*（Duke University Press, 2004）のなかで再生産的未来主義批判という議論をしています。エーデルマンによると、右派と左派、保守層もリベラル層も子どもを作るということに対して無条件に肯定する立場をとっている。それは哲学的にもそうで、いわゆる左翼系の哲学者であっても子どもの誕生を無条件に肯定しているかのように見える。しかし、そうした、生殖を前提とした社会の設計をすることは、生殖をしない人々、たとえばクィアにとって一つの暴力です。だからこそ、むしろ、生殖を前提としない社会のあり方をも模索していくべきなのではないか、ということがエーデルマンの主張です。ベネターの思想はそういった様々な現代思想の議論とつながっていくのではないかと思います。

生まれてくることは誰にとって良い／悪いのか

戸谷　冒頭で森岡さん個人の実存的な話を聞いたときに思い浮かんだことがあるのです

が、ドラえもんの『ぼくの生まれた日』（二〇〇二年）という映画があります。どういう話かというと、夏休みのある日、のび太が自分の誕生日にどんなプレゼントがもらえるんだろうとウキウキして家に帰ると、「また宿題していないでしょ」とお母さんから怒られてしまう。誕生日を祝われると思って楽しみにしていたのに、その気持ちがくじかれてしまったわけです。のび太は家出をして、「ぼくなんか生まれてこないほうが良かったんだ」と叫びます。そこにドラえもんがやってきて、「のび太くん、タイムマシンで戻って、君が生まれた日がどうだったか見てみないかい」と提案し、二人はタイムマシンに乗って、母親がのび太を出産した日に遡ります。そこでのび太は、両親が自分が生まれたことに歓喜している様子を見て、「ぼくは生まれてきても良かったんだ」と考えを改め、ハッピーエンドになるという物語です。僕は反出生主義のことを考えながらこの映画を観ていたのですが、生まれてこないほうが良かったというときに、それは誰にとって良いのかということもまた一つの論点になるな、と気が付いたのです。たとえば、私にとって私は生まれてこないほうが良かった、ということと、しかし私以外の誰かにとって私は生まれてきても良かった、ということは両立しうると思います。もっともそれはそう単純な話ではなくて、たとえば『ぼくが生まれた日』でのび太は当初、親にとって自分は生まれてこないほうが良かった、と苦悩しているように見えるのですが、だんだんと話が進んでいくうちに、その苦悩が自分にとって自分が生まれてこないほうが良かったというふうに変わっていくように見えました。そこで森岡さんの話に戻るのですが、「私は生まれてこないほうが良かった」というのが、だんだんと宇宙全体に拡大していくわけですよね。そのプロセスを考えてみると、「誰にとって」というのはとても流動的で、簡単には区別できないもののようにも思えます。そのあたりはどうですか。

森岡　「生まれてこないほうが良かった」という反出生主義の思想は暴力性をはらんでいると、あるときから思うようになりました。それはなぜかというと、生まれてこないほうが良かったという思想に私がとらわれたとします。でも私が生きるなかで、私が存在して何かをしたことによって、喜びを感じたり幸せになったりした人たちがいると思います。生まれてこないほうが良かったという思想は、その誰かが感じたところの喜びや幸せを私の存在と一緒に無に帰してしまう思想だからです。だから私が生まれてこないほうが良かったというのは、一見すると私の人生をゼロにしてしまうだけの思想のように見えるけれども、実はそうではなくて、他人の喜びや幸福をも巻き込んでしまっている。私が生まれてこないほうが良かったというとき、その思想の暴力が発揮される範囲は私を超えて他人にまで広がっています。だから、その点もよく考えないといけないことです。それに関しては、いまのドラえもんの話も示唆的です。のび太が生まれた日に戻り、喜んでくれた父母がいたことに気づくということからは、私が生まれてきたことによって喜ぶ人がいたけれど、それも無にしてしまう暴力があるということが導けると思います。非常に優れたエピソードだと思います。

先ほど戸谷さんがおっしゃったように、「生まれてこなければ良かった」と言うときの視点がどこに置かれているのかはさまざまです。一つはそういう言葉を発している私というところから語られている。しかしいま言ったようにこれはいろいろな人を巻き込む問題だから、たとえば家族やコミュニティの視点もそれにつながっているだろうと思います。視点がもっと大きくなると、宇宙になります。宇宙全体の視点から見ると——これは反出生主義を客観主義的に見るということになると思いますけれども——、意識的存在が生まれなかった宇宙と、意識的存在が生まれた宇宙を比較した場合、どちらが良い宇宙かという問題になります。そういったものが全部お互いにもつれあっているような問いだろうと思う。ベネターの本を読むと——みなさんもこれを読まれると感じると思いますが——生まれてこないほうが良かったとか悪かったとか、いったいどの視点から語られているのかがベネターの議論のなかでは混乱していると思わざるをえない。それは彼の弱みだと思います。

また、反出生主義に必ず付随的に出てくるのは、「じゃあ自殺すればいいじゃないか」という問題です。これに関してはベネター自身も、自殺の問題と生まれてこなければ良かったという問題は切り離して考えています。ベネターは自殺を推奨していません。その二つは違うということははっきりとわかっておいたほうがいい。私の言い方で言うと、自殺をすることと生まれてこないほうが良かったということが根本的に違うのは、自殺は遂行可能である一方で、生まれてこないというのは遂行不可能であるということです。ここに存在論的な、決定的な違いがある。生まれてこないほうが良かったと発言する人はすでに全員生まれてきてしまっている。生まれてきてしまっている存在と生まれてきていない存在の二つがあって、どちらが良いかを選ぶということにはならないという、根源的な非対称性が重要だと私は思います。「生まれてこないほうが良かったのではないか」という問いが立ち上がるということ自体が、この問いにかかわるすべての人がすでに生まれてきてしまっているということを示しているし、すでに生まれてきている人は生まれてこなかったということを取り返しようがない。だとすると、この問題は生まれてきてしまっている我々が、残りの人生を生き続けることによって解決するしかないというのが私の答えです。残りの人生のなかたしかに生まれてこないほうが良かったという考えに何度も何度も落ち込んでしまうけれども、それをくぐりぬけて、生まれてきて本当に良かったという道にたどり着くにはどうすればいいかを模索していくしかないのではないかと私は思っている。私はそれを、生まれてきて良かった、つまり「誕生肯定」に至るにはどうすればいいかという問いとして立て、生命に関する哲学の出発点、根本的な問いとして立てていきたいと思っています。それがここのところの私の哲学的な見通しです。

生命の哲学の具体的な一つの形として、誕生肯定とはいったい何なのか。生まれてきて良かったとは何を意味しているのか、それを追究するということは何をすることなのかを哲学的に考えていくという課題が残されています。私自身は反出生主義の哲学というのはちょうどボールをぶつけて跳ね返ってくるような壁として考えていて、そこから跳ね返ってきたものをどう受け取るかが誕生肯定の哲学的模索となるのではないかと思っています。

戸谷　生まれこないほうが良かったという思想がある種の暴力性を持っているというのは、その通りだと思います。同時に、反転させると、同じような意味で出生主義もまた暴力的ではないかと思います。たとえばヨナスの思想では、人類はまず存続しなければならず、そのために一人一人の人間が生まれてこなければならない、と考えられています。子どもを生むのはその子どもにとって良いことだから生むのではなく、人類存続のためであり、生まれてきた子どもにとって良いかどうかは問題ではない、とヨナスは言っているわけです。これってすさまじく暴力的ですよね。

森岡　そうですね。

戸谷　先ほど森岡さんがおっしゃっていた、コミュニティからの視点にしても、たとえばアーレントの出生主義というのは――アーレントは自分のことを出生主義と言っていませんが、それを出生主義として解釈すると――政治的な公共性を維持するために新しいものが生まれてこなければならない、という論理であり、生まれてくるものにとって生まれてくることが良いかどうかはやはり考慮されていません。ある種のコミュニティを維持するために子どもを生むという発想に陥っているのかもしれません。近現代以降に現れてきた出生主義の思想は基本的にすべて、生まれてくることが良い理由を、生まれてくるもの本人にとっての良さではなく、それによって世界が良くなるという点に求めているように思えます。もう少し古い例で言うと、ニーチェを挙げることもできるでしょう。ショーペンハウアーやベネターは苦痛を害悪だと捉えていますが、ニーチェは苦痛を単なる害悪としては捉えません。何故なら人々は苦痛を経験することで既存の価値観を相対化し、そこから新しい価値観を提示できるようにもなるからです。極めて深い苦悩のなかから新しい価値観が立ち上がることで、人類の自由精神が発展していく。そうした意味で、ニーチェにおいても、人類をいかに発展させるかということが出生の価値を決定しているように思えますし、生まれてくるもの自身にとって生まれてきたことが良いかどうかは考慮されていません。ですから、森岡さんがこれから展開される誕生肯定の思想が、生まれてくるものにとって生まれてくることが良いと言えるような形で展開していくならば、近現代のいわゆる出生主義の思想たちとはまったく違った革新的なものになる気がします。

森岡　誕生肯定の哲学というのは、生まれてきてしまっている者がこれからどう生きればいいかというのがベースにあるので、その意味では非常に個人主義的だと思います。ただ、先ほど私が言ったように、この哲学に対しても同じようにベネターの問い、つまり、次の命を暴力的に生み出すことがいかにして正当化されるかという問いが突き刺さっていると思いますね。いまの話をお聞きすると、ヨナスとベネターというのは本当に鏡像のような関係です。近現代のヨーロッパの思想にずっとあり、ヨナスの哲学にも現れているところの、個人の出生を人類全体のために必要とするというある種の全体主義的な構造には危うさを見ざるをえない。ベネターの「なぜ我々が子どもを生んでいいのか」という問いは、ヨナスの出生全体主義的なものを相対化する問いになりえているのではないか。その点はやはりベネターの問いの価値があるところだと思わざるをえません。

出生の肯定／否定を超えて――絶滅のまえに

ショーペンハウアーは自殺を否定していますが、一つだけ許される自殺について書いています。それは何かというと、餓死です。餓死による自殺は生への執着がもたらした自殺ではなく、生をあきらめることがもたらした自殺だからこれはかまわないとショーペンハウアーは言うわけです。おそらくショーペンハウアーはこの考え方を仏教から取り入れています。

原始仏典ではブッダの最期がさまざまなレトリックで書かれていますが、これは餓死による自殺に近いように見えます。ですので、原始仏教的な考えでは、そういう形で自殺することは否定されていないとみなすこともできます。そう考えると仏教は反出生主義という目から見ると面白い思想です。ヨーロッパでは存在は善であるという大きな流れがあり、人類は存在し続けるべきだというのがマジョリティになっているという話が先ほどあったけれども、原始仏教の考え方はその意味では逆

森岡

に見えます。つまり、原始仏教ではこの世に命を受けたものは必ず死ぬが、死んだら輪廻して別の世界にまた生まれてしまう。そこで死ぬと、また別の世界に生まれてしまう。輪廻し続け、命あるものは死ねないというのが古代インドの基本的な生命観でした。それに対してブッダは、生まれ変わり永遠に生きなければならないのは苦しみであるから、この世で死んだらもうどこへも生まれ変わらないのが救済であると言います。命あるものは輪廻の途中の人間界で輪廻をやめて、この宇宙全体から消えることを目指すのが原始仏教の根本にある考え方です。そう考えてみると、一面では原始仏教の考え方は反出生主義のようにも見える。もうどこへも生まれ変わらないということを目指すのは、出生の否定です。しかし、仏教にはもう一つの面があります。ブッダはこの人間界で修行をして悟ることができたのだから、ブッダ以外のすべての人間も、この人間界に生まれてきたら教えに導かれて悟る可能性があります。その意味においては、人間界に生まれ出てくることは肯定されます。したがって原始仏教には反出生主義の視点から見た場合に二面性があって、一方においては出生は否定されているが、もう一方においては出生の否定を目指す出生は肯定されている。つまり、原始仏教は出生に関しては肯定かつ否定であると解釈できます。この解釈が仏教学的に正しいかどうかは、私は専門家ではないので知りません。だけど、出生の肯定か否定かという二項対立に陥らない道はあってしかるべきだと思っていて、そのヒントは原始仏典にあるような気がしています。原始仏典の考えは、基本的には当時の古代インドの輪廻説を前提としているので現代でそのまま通用するものではないけれど、反出生主義の哲学をくぐりぬけていくときに何か可能性があるのではないかと思います。

戸谷　すごく勉強になります。実は僕も、出生主義と反出生主義の二項対立を崩していく可能性について考えていて、西洋哲学のなかにもいくつか鍵があるのではないかと思っています。一つは、ニーチェが『悲劇の誕生』のなかで古代ギリシャにおける悲劇の成立過程について議論しているところです。ニーチェによると、ギリシャ人たちは非常に苦痛を感じる種族であり、そうした当時の厭世観は鬼神シレノスが「一番いいのは生まれてこないこと。二番目がすぐに死ぬこと」と語っていたという民間伝承にも表れています。しかしこの厭世観は、ただ消極的に作用するだけではなく、かえってその苦痛に満ちた生を美化するために、生を神格化する芸術を育んでいった。それがアポロン的芸術であるとニーチェは指摘しています。その後、その神格化された生を破壊するデュオニソス的芸術が現れてきて、両者が一体化して悲劇が誕生します。そうだとすると、ここには、生まれてこないほうが良かったという苦悩によって、翻って見事な芸術や文化が育まれるという可能性が示されているように思います。つまり、倫理的な意味で生まれてこないほうが良かったものが、しかし美的な意味では生まれてきたほうが良かった、というロジックを構築できるのではないかと思います。

もう一つ注目しているのは、ジャック・デリダの思想です。デリダは『マルクスの亡霊たち』のなかで、シェイクスピアの『ハムレット』を取り上げています。ハムレットは父親を叔父のクローディアスに殺されるのですが、ある晩に彼の前に父親の亡霊が現れます。その亡霊は「ハムレットよ、私の無念を晴らしてくれ。お前は叔父のクローディアスを殺すことが義務だ」と言い、それに対してハムレットは、この世界がおかしくなってしまった、「世の中の関節が外れてしまった」(The time is out of joint.) と嘆きます。彼はその義務を自分の運命として受け入れ、叔父への復讐を果たそうとするのですが、その運命をめぐって激しい苦悩に襲われるんですね。その結果、オフィーリアという婦人に対して、「尼寺へ行け、誰とも結婚せず子ども生むな。私も自分がこんなに罪深い人間なら生まれてこないほうが良かったと思っているんだ」と言うシーンがあります。

ハムレットの「世の中の関節が外れてしまった」という嘆きについて、デリダはこう解釈しています。つまり、「関節」が外れるということは、世界の本来のあり方、全体として完結していたものが脱臼してしまう、ということを意味する。そしてその脱臼を直すこと、言い換えるなら全体性の回復は、クローディアスを殺すという復讐によってなされる。つまりハムレットの運命とは、いわば脱臼した全体性を復讐によって回復させる、ということであり、それは全体性の復活に与するということを意味するわけです。しかし彼はそうした運命を与えられた自分自身を嫌悪し、自分などは生まれてこないほうが良かった、と言い捨てています。その意味においてハムレットは、全体性の復活に抵抗する存在、つまり、全体性に対する他者である、ということになります。

デリダはこうしたハムレットのような存在のうちに正義の条件を洞察します。デリダの哲学において正義は二つに分かれていて、一つは法的なシステムにおける正義です。これは国家や共同体のなかで秩序を維持するための正義であって、それが乱された場合には、その秩序を乱した者を罰する力になります。それに対して他者への正義というのもあって、それは法的なシステムの外部にあるもの、あるいはその法的なシステムを乱す者に対して、それを迎え入れようとする正義のあり方です。ハムレットに課せられた運命とはさしあたり第一の意味での正義であり、つまり脱臼した全体性を復讐によって回復することです。これに対して、その脱臼を脱臼として受け入れることこそが、所与の全体性において排除されている他者に対する正義の条件である、とデリダは主張しています。こうした考えを踏まえると、これは僕の解釈ですが、法的正義を担わされながらも、その正義に順応するのではなく、苦悩するという形で拒絶するハムレットは、むしろ他者への正義へと向かう存在なのではないかと思います。そうであるとしたら、ある法的正義が支配している状況のなかで「生まれてこないほうが良かった」と思うことができる者こそが、他者への正義の可能性を開くために、翻って「生まれてきたほうがよい」というロジックが成り立つように思います。このようにデリダの哲学は出生主義と反出生主義という二項対立の構図そのものを崩していく可能性を秘めているように思うのです。

もっともこれらはまだアイデアに過ぎませんし、解釈として説得力があるかどうかには自信がないのですが。

森岡　それは発想として面白いと思います。生まれてきて良かったと思える者と、生まれてこなければ良かったと思ってしまう者とが対立関係にあるのではなく、むしろ生まれてきて良かったという者たちが生き続けるためには、生まれてこなければ良かったと思う者と関係を持ちつつ社会を作り上げていかなければいけないということになるのかもしれません。しかし、それはやはりある種の全体主義だという気がしませんか。つまり、生まれてこなければ良かったという人を、社会が安定して存続するための駒とみなしているようにも聞こえます。デリダがそう言っていたかどうかはいま判断できませんが、捉えようによっては、マジョリティが生まれてくること、次の世代を再生産していくことを善だとして動いている社会があったとして、その社会が、生まれてこなければ良かった、次の命は生まないほうがいいんだという他者を利用しつつ前進していくのだとしたら、それは真の他者性を持った他者でも何でもない。単にマジョリティに取り込まれていってしまう道具としての「他者のようなもの」になってしまうのではないでしょうか。

戸谷　デリダも基本的にはアーレントの発想に近く、到来する者として他者がいて、その他者の象徴の一つとして子どもがあります。子どもの到来は正義を実現するための機会として捉えられていますから、そこにはやはり、翻って全体主義化していく傾向のようなものはあるのかもしれません。

森岡　「誕生肯定の哲学」のような方向で考え、かつ、生命を再生産することを肯定的に考えていくとしても、私は人類が全体として絶滅する可能性は肯定的に確保しておくべきだと思います。たとえば進化論が正しいとすれば、人類だけが人類という形のままで今後何兆年も生き続けるというのは、おそらくありえないでしょう。我々は絶滅しか道がないとなったときに、どう肯定的に絶滅するかという問いにぶつからざるをえなくなる。そのとき、人類は生存しなければならないというヨナス的な命令があるといくら言ったって、それは無効になるだろう。だから絶滅がほぼ運命となって立ち上がってきたときに、その運命を我々はどう引き受けるのか、絶滅の運命のなかでより良く生きるとは何なのかということを哲学者は考えなくてはならない。だから絶滅の問題は反出生主義だけにとって大事な問いなのではなく、誕生肯定派の哲学にとっても、絶滅するとなったときにどう絶滅するのかという問いの大事さは確保しておくべきだと思います。

そのとき、「人類全体は生まれてきて良かったのか」という問いは当然立ちえます。それに対して、もし人類が絶滅したとしても、その絶滅までいろいろやってきて、いま絶滅することを肯定的に捉えるような哲学思想というのは、私はあってほしいと思います。だけどそれは、ベネターやショーペンハウアーのようになるべく早く絶滅しようと訴えるものとはまったく違います。私は、「生きよ、生き続けよ」と言う。だけど、「生きよ、生き続けよ」ができなくなった人類に対してそれを言わない哲学というものをも我々は構想すべきだと思っています。生存できていることは良いけれども、生存できなくなったときに絶滅することもまた良いという、それこそが本当の肯定ではないでしょうか。肯定の哲学というのはそういうことだと思います。この点で、私は「死の害」を前提とする分析哲学の議論には反対します。

＊

森岡　今日は反出生主義の思想について、雑誌『現代思想』風に（笑）、ベネターという現代思想のひとつの論説から入っていったけれど、実はベネターはショーペンハウアーの子どもであり、ショーペンハウアーは古代インド、ウパニシャッドとブッダの子どもであるわけです。その意味で、反出生主義の哲学思想を議論するということは、紀元前八〇〇年から三〇〇年頃に古代インドのなかで培われてきた生命に対する否定的かつ肯定的な絡まった考え方が、ヨーロッパに入っていき、さまざまなものと結合し、そして現代の哲学まで侵入してきたものを我々がふたたび議論しているということになると思います。

戸谷　そうですよね。今日の反出生主義も、やはりこれはいわゆるメンヘラカルチャーの産物でもなければ、ただの論理パズルでもない、人類の普遍的な問いの一つだと思います。そういう巨大な問いとして、長い時間をかけて取り組んでいかなければならないものだと思います。

森岡　古代インドでこういった問題が深く考えられていたのとほぼ同時期に、古代ギリシャでも同じように「生まれてこなければ良かった」という思想が文学のなかで突き詰められていました。このように、アジア世界でもヨーロッパ世界でも反出生主義の思想が浸透して、いろいろな思想や文学を生み出していったという非常に大きな流れがあります。ですから、反出生主義は宗教・哲学・文学のなかで連綿と流れている人類の基調低音みたいなものでしょう。それが歴史の大きな流れのなかで、いろいろな装いをもって立ち現れてきていて、たまたまいまは分析哲学的な装いをもって議論されている。この問いというのはそういう歴史的なスパンで見るべきでしょうね。

（二〇一九年九月一五日）

解説　反出生主義はほんとうに自殺を導かないのか？

反出生主義をめぐるこの対談が行なわれたのは、二〇一九年のことだった。当時は「反出生主義」という言葉はまだ一般的には知られておらず、ベネターの『生まれてこないほうが良かった』の日本語訳を読んで興味を持った人たちがいたのに加えて、「すべての人は子どもを作るべきではない」という言論活動をしていた人たちがインターネットにいたくらいだ。

私は二〇一三年頃から反出生主義について論文を発表してきた。私の当初の関心はもっぱら「私は生まれてこなければよかった」という誕生否定にあったから、ショーペンハウアーに代表されるヨーロッパの誕生否定の思想と、仏教に代表される古代インドの誕生否定の思想を集中的に研究していた。と同時に、ベネターが現代の分析的倫理学に持ち込んだ「快苦の非対称性」による反出生主義の正しさの論証についても関心を持って、ひとり孤独にベネターの論理の陥穽を探ろうとしていたのだった。

私はそれらの思想史的研究と、ベネターのような分析的議論を結び合わせて、後に刊行される『生まれてこないほうが良かったのか？——生命の哲学へ！』（筑摩選書、二〇二〇年）の原稿を書き続けていた。そして二〇一九年に『現代思想』が「反出生主義を考える」という特集を企画し、その冒頭対談に戸谷さんと私が呼ばれたのである。この特集号は圧倒的な反響を呼び、反出生主義の言葉がマスメディアに登場するきっかけを作った。私は様々なメディアに出て、反出生主義とは何かを解説した。反出生主義をひとことで言えば、すべての人は生まれてくるべきではないし、すべての人は子どもを作るべきではないとする考え方である。

それを聞いた人は、「生まれてくるべきではないというのなら、まずあなたが死ねばいいのに、なぜ死なないのですか？」と反論することが多い。それに対して、反出生主義者は、「自分たちは誕生や出産に反対しているのであって、いま生きている人に対して「死んだほうがいい」などと勧めているわけではない。そのふたつは明確に切り離すべきだ」と答える。彼らは、反出生主義と自殺を結びつける考え方は完全に間違っていると主張するのである。その理屈はわかるものの、私自身はそこまで明瞭な答えを出すことはできない。

二〇一八年に、北海道大学の蔵田伸雄らのグループが第一回の「人生の意味の哲学国際会議」を札幌で開催し、私もその企画に関わった。我々はベネターを招いて議論を行なった。会議前日の夕飯はみんなでヴィーガン料理屋に行って、胚芽米のおにぎりを食べた。その会議に参加した哲学者たちの何人かは、その三ヶ月ほどまえにチェコのプラハで開催された国際会議「炎上する反出生主義」に参加していた。アカデミア（学会などの学術的な世界のこと）でもようやく反出生主義がテーマとして取り上げられ始めた頃だった。

札幌の国際会議の一日目の懇親会で、イスラエルから来た哲学者イド・ランダウ教授が私に「あなたと話をしたいと言っている若い哲学者がいるのだが、彼はプラハで発表をしてたね。ああ、あそこにいる」と彼を呼んだ。アジア系の若者が近づいてきて私に話しかけた。しかし私はそのときに何か急ぎの用事があったので、彼には「あとで話しましょう」と言ってその場を去った。彼は「はい」という感じで頭を下げた。しかし私は、彼と話す約束したことを忘れてしまったのだった。

その後、二〇二一年に、私は「反出生主義インターナショナル」という団体の代表をしている米国の活動家アマンダ・シュケニックとひんぱんにやりとりをした。あるとき私は、二〇一六年に刊行された『反出生主義宣言』（*The Antinatalist Manifesto*）について彼女に尋ねた。この本は Antiprocreation という匿名の人物によって書かれたもので、反出生主義の考え方がクリアーに示されたものである。我々は「産んでいいか」と尋ねられもせず強制的に生み出されたのであり、生殖は人間の尊厳、人権、自由に対する侵害であるとこの本の著者は主張している。アマンダは、言葉を選びながら、あの本はファン・ジウンという著者によって書かれたもので、ジウンのことはほんとうに辛い出来事だったと言った。

ファン・ジウンは『反出生主義宣言』を刊行したあと、二〇一七年に世界初の反出生主義の雑誌『反出生主義マガジン』（*The Antinatalism Magazine*）を創刊した。そして二〇一八年五月にプラハの国際会議に出席して、ベネターの反出生主義は不徹底だと批判する発表を行ない、その後、同年に、自死にも似た行為によって重症を負い、それが原因で亡くなった。享年二三歳であった。二〇一八年夏と言えば、札幌で我々が国際会議を開いた年である。私は札幌の会議の参加者一覧を掘り起こして探してみた。Jiwoon Hwangという名前がそこにあった。彼は札幌の会議を終えて、ほどなくして世を去ったのだ。彼は反出生主義の世界に彗星のように現われた若きリーダーであった。もしあのとき、彼と少しでも会話ができていたら、私たちはどのような話をしたのだろうか。

ファンは二〇一七年一〇月に、「なぜ存在をやめるのが常に良いことなのか」(Why It is Always Better to Cease to Exist) という論文を発表している (https://papers.ssrn.com/sol3/papers.cfm?abstract_id=3184600)。ここでその内容を見ておこう。まずベネターは、人が生まれてくることは、人が生まれてこないことよりも、必ず悪いと主張する。なぜなら、(1) 生まれてきて苦があるのは、生まれてこないので苦がないことよりも悪い、(2) しかし生まれてきて快があるのは、生まれてこないので快がないことと比してとくに良いとは言えない。快と苦にはこのような非対称性がある。したがって、快と苦の両面を合算して考えると、生まれてくることは、生まれてこないことよりも必ず悪くなるというのである。これがベネターの理論であり、彼の誕生害悪論の核心部分を構成するものである。

だとすると、生まれてくることが必ず悪いのなら、すでに生まれてきた人は早く死んでしまったほうがいいのではないかという疑問が出てくる。ベネターはこれに対して、自殺はこの世に苦しみを増やすので、基本的には賛成できないと言う。彼が否定するのは、人がこの世に生まれてくることであり、人がこの世で生き続けることではない。だからベネターの理論は人々を死に誘うものではないとされるのである。

しかしファンはこの点に疑問を抱く。もしほんとうにベネターの快苦の非対称性を正面から受け取るとするならば、それは自殺を肯定するものにならざるを得ないと言うのである。ファンは「早死の死亡主義 pro-mortalism on earlier death」を主張する。すなわち、人は遅く死ぬよりも、早く死ぬほうが必ず良いというのである。というのも、長く生きれば生きるほど、人生には余分な苦が訪れる。早死にすれば、そのような余分な苦を避けることができる。したがって、すでに生まれてきた人は、苦しみのない死に方によって、なるべく早く死ぬのがいちばん良いというのだ。

ファンはそれをベネターの快苦の非対称性の理論で証明しようとした。少し細かい話になってしまうが、ファンの論理の概要をここで紹介しておきたい。ある人が二〇歳で死ぬ場合と、その人が八〇歳まで生きて死ぬ場合を比べてみる。もし八〇歳まで生きて死ぬとしたら、二〇歳から八〇歳のあいだの六〇年間に、その人はたくさんの苦と快を経験するはずだ。ベネターによると、快と苦には非対称性がある。六〇年のあいだに積み重なっていく苦の経験は、人生をよりいっそう悪いものにするが、六〇年のあいだに積み重なっていく快の経験は、人生をとくに良いものにするわけではない。したがって、二〇歳で死んでしまう人生と、八〇歳で死んでしまう人生を比べてみれば、二〇歳で死んでしまう人生のほうがより良いことになるとファンは結論するのである。

ファンは言う。「もし私のここまでの議論が正しければ、自殺というのは、多くの人たちがまあここまでなら許されると思っているその範囲をはるかに超えて許され得るのであり、かつ理性的であるということを意味するであろう」。ファンはさらに言う。もし生まれてこないほうが、生まれてくるよりも良いとしよう。ところで、人は朝に眠りから覚めるときにこの世に新たに生まれてくる、というふうに考えることもできる。目覚めと出生は、意識を持つ当人にとっては同じことである。もし生まれてこないのがいちばん良いことだとしたら、いったん眠りに落ちた人がもう二度と目覚めないこと、すなわち眠っているあいだに死んで二度と目覚めないことがもっとも良い帰結となるだろう。もしそれが良いことならば、なるべく早くそこに向かうのがいちばん良いことだ。これがファンによる早死の自殺の肯定論である（彼の論文には頁番号がないので頁数は省略した）。

ファンは、先ほどの思考実験で、二〇歳で自殺する例を挙げていた。ファンがこの論文を公刊したのは二〇一七年であり、彼が二二歳のときである。ファンにとって反出生主義はけっして論理パズルなどではなく、自身の実存を賭けた真剣な思索だったと言うことができるように思う。彼の死の詳細は明らかにされていないけれども、みずから命を絶とうとしたのだろうと反出生主義のコミュニティでは考えられているようだ。反出生主義はけっして自殺を肯定するものではないと一般には主張されているが、ファンのことを考えると、そう簡単には言えないはずである。ファン・ジウンは韓国生まれであるが、英語圏の反出生主義の若きホープであった。『反出生主義マガジン』を刊行して、編集長を務めた。そして先に紹介した『反出生主義マニフェスト』と、『子産みは殺人である——自発的人類絶滅を擁護する』（*Procreation Is Murder : The Case for Voluntary Human Extinction*, Anti Procreation, 2017）を刊行した。若くして反出生主義の世界に彗星のように登場し、凝縮された言論活動を行ない、そして消えていったのである。反出生主義の言論の中心にいた人物が、早死の自殺の肯定論を主張し、このような死を迎えたことは、たいへん重いことであると私は考える。

ただし、残酷なようだが、快苦の非対称性を用いた早死の自殺の肯定論は間違っていると言わざるを得ない。なぜなら、ベネターの快苦の非対称性の議論で比較されるのは、「生まれてきたとき」と「生まれてこなかったとき」の二つであり、けっして「二〇年生きた人生」と「八〇年生きた人生」の二つではないからである。ベネターの快苦の非対称性の議論を正しく用いるとすれば、そこから導かれる結論は、「まったく生まれてこなかったことの良さと比べれば、二〇年生きた人生も、八〇年生きた人生も、どっちも同じくらいとてつもなく悪い」ということ以外にはあり得ない。したがって、もしファンが、早死の自殺の肯定論はベネターの快苦の非対称性の議論の正しい帰結であると考えているのなら、それは間違いである。二〇一八年の北大の国際会議のときには、私はまだファンの論文の存在を知らなかった。だから、もしあのとき彼と話をできていたとしても、私は自分のこの考えを彼に伝えることはできなかっただろう。

ひょっとしたら、彼は、懇親会の前の基調講演で私が話した「誕生肯定」の概念について質問をしたかったのかもしれない、といまから振り返って思う。誕生肯定とは、「生まれてきて本当によかった」と私が心の底から思えることである。これは、すでに生まれてしまった私が、これからの人生のなかで、自分がこの世に誕生したことをどう肯定できるのかという問題である。これは反出生主義のパラダイムからは逸脱した問題設定であり、そうであるがゆえに新しい地平を開く可能性がある。国際会議に出席していたベネターも、誕生肯定の概念について私に質問を投げかけてきた。彼はその概念に対して否定的だったが、ファンはどう考えていただろうか。

最後に、ひとつだけ付け加えておきたい。第1章の対談を終えた次の年に、私は『生まれてこないほうが良かったのか？』を刊行した。するとインターネットを中心にたいへんな反響があった。そのなかで、多くの人たちから出された疑問は、「反出生主義とは子どもを作ってはならないという主張であって、生まれてこないほうが良かったという主張ではないはずだ」というものであった。たしかにそのような疑問が起きるのは理解できる。私の本では、反出生主義を、生まれてこないほうが良いという「誕生否定」と、子どもを産まないほうがよいという「出産否定」に分類したうえで、ほとんどの考察を前者の「誕生否定」の面に割いていたからである。反出生主義は出産の否定であると思っていた読者は、肩すかしをくらっただろう。

そこで私は、二〇二一年に、論文「反出生主義とは何か――その定義とカテゴリー」(『現代生命哲学研究』第一〇号、三九―六七頁)を発表して、日本と世界における反出生主義の「出産否定」の側面の思想史をたんねんに紹介して、考察を加えた。そこでわかったのは、思想史的に見たときに、反出生主義には三つのタイプがあるということである。第一は、古代ギリシアで展開された「誕生否定」としての反出生主義である。第二は、古代インドで展開された「輪廻否定」としての反出生主義である。そして第三は、二〇世紀以降に展開された「出産否定」をもとにした反生殖主義としての反出生主義である。反出生主義は、これら三つの側面が互いに混ざり合いながら展開してきたと言える。ちなみにこの三つをもっとも上手に統合したのはショーペンハウアーである。

「反出生主義は子どもを作ってはならないという思想である」と私に疑問を投げかけてきた人たちは、第三の「反生殖主義」こそが真の反出生主義だと考えているのである。私の目から見れば、そのような確信がどこから生まれたのか逆に興味がある。私は、反出生主義の思想は人類二千数百年の歴史の流れのなかで理解すべきであると考えているので、現代の反出生主義者たちとは視点が異なっているのかもしれない。そのあたりの考察をも含めて、前述の論文で分析してみたので、この問題に関心のある方はぜひご覧になっていただきたい。

この対談は、以上のような研究の途上で行なわれたものであり、情報量が不足していたり、考察が足らなかったりするのであるが、そうであるがゆえに反出生主義についての私の見方が素朴な形で表明されている。戸谷さんは、私からの問いかけに柔軟に応じてくださったので、とても読みやすいものとなった。対談のなかで出てきた、ベネターとヨナスのパラダイム間衝突という論点は非常に興味深いので、戸谷さんの今後の研究に期待したいと思う。

第2章

〝血塗られた〟場所からの言葉と思考

×小松原織香

小松原織香
こまつばら・おりか

一九八二年生まれ。関西大学文学部学術振興会特別研究員（PD）。主な関心は、戦争、犯罪、災害などのサバイバー（生き延びた人々）の〝その後〟。現在は、水俣地域を中心に、環境破壊後のコミュニティ再生について研究している。第10回西尾学術奨励賞、第13回社会倫理研究奨励賞受賞。著書に『性暴力と修復的司法——対話の先にあるもの』（成文堂）、『当事者は嘘をつく』（筑摩書房）がある。

森岡　小松原さんはこれまで加害‐被害関係をめぐる問題に新たな次元を拓くお仕事をなさってきて、最近刊行されたご著書『当事者は嘘をつく』（筑摩書房、二〇二二年）も注目を集めています。私もまた、この問題についてはずっと自分事として考えてきたのですが、どちらかというと古い世代に属する見方かもしれません。本日はいわばその新・旧両面からさまざま議論を深めていければと思います。

小松原　私は博士論文では被害者と加害者との対話を通じて和解や問題解決を目指す「修復的司法」に焦点を当てましたが、その時点では明確に被害者の視点に立っていました。加害者の問題に取り組み始めたのは、被害者が対話を望んだ場合には、加害者もまた自分を見つめ直し、語るための準備が必要だからです。そこで博論提出後の二〇一六年四月頃から加害者支援の勉強を始め、性犯罪者やＤＶ加害者の治療プログラムについて、ワークショップなどにも参加しながら研究するようになりました。

　ただしその後、いくつかの理由で加害者支援の研究は止まってしまっています。同時に始めた水俣の研究に全力投球していったのもあって、加害者の問題はそのまま塩漬けになってしまっていました。ところが今回『当事者は嘘をつく』という本を「被害者」として上梓したことで、取材やインタビューで「加害者についてどう思うか」という問いも向けられるようになりました。自分自身の加害者に関してはもう終わったことだと考えているのでどうもこうもないですし、加害者支援の研究も活動もしていないですし、なかなか曖昧なことしか言えません。とはいえ期待されている役割はひしひしと感じていて……。どうしたものかと考えていた折だったので、今回の対談は私自身にとっても加害者について再考するいい機会になりそうです。

被害者と加害者――それぞれの生のリアリティ

森岡　議論を進める前に確認しておきたいのは「加害」と「加害者」と「加害性」というこの三つの違いについてです。

まず「加害」というと、これはある具体的な行為を指すと考えられますね。個人的なものである場合もあれば、戦争のように集合的になされる行為のこともあるでしょう。今回の特集テーマである「加害者」とは、こうした意味での加害をおこなった、あるいはおこないつつある人物を指すのだと思いますが、この言葉を使った瞬間に、その人物がもつ固有名詞や職業、どのような関係のなかで生きているかなどが捨象され、加害者であるという一面だけで塗りこめられてしまうという問題があります。もう一つの「加害性」とは加害という行為がもつ性質ですから、ここではさらにもう一段、抽象度が上がっているといえますね。そして加害性にかんする議論は、哲学や歴史学といった学術の領域や、立法の場などでも多々おこなわれてきました。抽象的であるぶん自分が加害者であるという意識の有無にかかわらず議論できるのですが、本来は生々しく血塗られた次元にあるはずの「加害」そのものがどこかに飛んでいって、大事なものが抜け落ちてしまう危険もあるように思います。

そのうえで、これらの問題に対する私自身の実存的な立ち位置について述べておくと、私は自分が加害者であるという意識をずっともってきました。日本という国家を構成する一員であり、かつ男性で、しかも大学教授である——そんな人間は、ある面から見れば加害者以外の何者でもないわけです。そこにどう向き合うかは私にとって大きな問題であり続けているのですが、その際に「被害者との連帯」などと言う人がいて、私はそれに感覚的な嫌悪感を覚えるんですね。もちろんそうしたことが言われてきた経緯は理解しています。例えば日本は第二次世界大戦の敗戦国であり空襲や原爆などの被害も受けたが、それ以前に近隣のアジア諸国に対する加害者でもあった。被害者でありかつ加害者であるというとき、前者は意識にのぼりやすいのに後者は忘却しがちなのはどうなんだ、という問題提起が戦後ずっとなされてきました。そのとおりだと思いますし、何も反対はしないのですが、だとすれば被害者と「連帯」などできるはずがない、というのが私の直観的な思いとしてあるのです。

またフェミニズムやウーマンリブの運動に対しても、加害者である男性が彼女たちに連帯しようとするのは同様の理由でやはり許せない気がする。男性が自分の加害性からスタートするならば、そうした作業をおこなう相手はフェミニストではなく自分自身だろうと。そしてその際に「男もつらいんだ」というようなある種の〝被害者偽装〟でもなく、また自分の加害者性をひたすら懺悔していくタイプの議論でもない、そのいずれとも異なる仕方で、加害者としての私が私自身に向かって何を言えるかというのがジェンダーやセクシュアリティにかんする私の研究の出発点でした。

小松原　おっしゃるとおり、自らの「加害性」を問うというのは戦後日本における左翼的な伝統のひとつとしてありますね。現在進行中のロシアによるウクライナ侵攻に対しても、ウクライナに同一化するのではなく、むしろ自分たちはロシアと似たような加害行為を過去におこなってきた国の国民なんだという自覚が必要で、その加害性を見るべきだという意見があります。もっともな話ですし、植民地支配の加害者であるという認知は私にもたしかにあります。同時にこうした言説に対して、若いときから違和感がありました。「日本人としての責任」という発言の裏で、自分を〝善い日本人〟として他の日本人と切り離すことで本来の加害から逃げているのではないかと疑うからです。つまり加害性を問うことが、日本人という集合的なアイデンティティに一体化して生身の「私」を集団責任のなかに溶かし込み、自己を忘却するための装置になっているのではないか、と。

性暴力の問題について、男性が「男性として」考えたいと言うのにも同様の違和感があります。加害者というある種の当事者性をもつことへの欲望がある気がするというか。私は自分以外の被害については、あくまでも第三者として考えるべきだというスタンスなのですが、するっと思考回路がずれて被害者ポジションで語り始めることがあります。かれらもまた被害者のことも加害者のことも理解なんてできないのに、加害者として当事者性をもつことで発言権を得ようとしているのではないかと感じることがあります。

その一方でもっと〝ガチの〟加害者として生きている人もいます。私自身は「加害性」を問うている人よりも、実際に「加害者」という生き方をしている人に関心があります。例えば以前、ある刑務所の受刑者とお話しする機会があり、そこには性犯罪者も含まれていました。自分自身が性暴力被害者なものですから、「かれらに対して、〝記憶の中の自分の加害者〟を投影して嫌悪感を持つかもしれない」と心配していましたが、そんなことはありませんでした。刑務所という加害者が完全にコントロールされた環境下で、自分が圧倒的に強い立場だったからというのもあるかもしれませんが、それだけではないと思います。というのも私が気づいたことは、性暴力加害者を有罪にするのはとても難しいんですが、そんななかで逃げおおせる大半の加害者と、刑務所に送られてしまう人たちというのは違います。知的な障害を持っていたりコミュニケーションの困難を抱えていたり、あるいは被虐待経験や貧困であったりと、自身も大変な経験をされている、こう言ってよければ〝うまく生きるのが難しい〟人たちだということです。私に暴力をふるったような、現代社会に適応しつつ、裏で加害するタイプとは違う。また受刑者の支援を行うNPO法人「静岡司法福祉ネット　明日の空」代表の飯田智子さんにお話を伺ったのも大きかったです。性犯罪者も含めて刑務所にいる加害者がいかに困難な〝穴〟に落ちた人たちであるのかについてリアリティをもって理解できました。

ですから私は概念としての「加害性」について考えるのは気が進まないのですが、現実に加害者となってしまった人に接したり話を聞いたりするなかで自分の心が動くことへはオープンマインドでいたいと思っています。例えば「色鉛筆訴訟」というのがあります。死刑囚の奥本章寛さんは、獄中で色鉛筆を使って絵を描き始めました。あるとき、接見中の弁護士さんに「先生、色鉛筆はすごいです。ここには無限の世界があるんです」というようなことをおっしゃったそうです。私はその話にすごく感動しました。奥本さんは家族関係で追い詰められて義母、妻、子を殺害しています。裁判中に、なぜ殺害以外の方法で問題を解決しようとしなかったのについて「わからない」と答えていました。それを考えると、奥本さんは色鉛筆に出会って初めて自己表現の手段を得て、世界に向き合い始めたのではないでしょうか。この世界には豊かな色があり、そこで生きている人の命がある。それを理解したとき、人の命を奪うことはゆるされないことが真にわかるのではないかと私は思います。奥本さんはいま、刑務所の訓令の変更で色鉛筆の使用を禁止されたため、再び絵を描くことができるように裁判に訴えています。私は色鉛筆の使用が認められて欲しいのはもちろんですが、死刑も取り消して欲しいと思いました。これまで私は被害者遺族により近い立場にいたいと思っていましたし、「加害者を死刑にしたい」という感情を共有してきました。でも、奥本さんの話を聞いて、加害者の顔が見えたというか、その人の生のあり方が自分のなかにスッと入ってきたときに、殺してはいけないと――生きていてほしいと素直に思ったんです。

森岡　色鉛筆訴訟のお話は私の心にも響くものがあって、小松原さんのおっしゃることはよくわかるのですが、同時に難しい問題もあるように感じます。というのもその死刑囚の方が色鉛筆を手に入れて自分の生を豊かに生ききったとして、それは被害者や遺族にとっては許容しがたいのではないか――そう考える人もいると思いますし、実際に大学の授業で死刑の問題を扱うと、こういう主旨の質問は学生さんからときどき出てくるんですね。出発点としてはまず加害者が誰かを無惨に殺したという事実があるわけで、殺された側はその将来を一方的に断たれたにもかかわらず、加害者のほうは収監されながらも自らの感受性を豊かに広げ、仮に天寿を全うしたとなると、そこには非常に大きな不公正があるのではないかというわけです。あるいは死刑制度に反対か賛成かについて意見を聞くと「自分は死刑には反対である、なぜなら死刑を執行してしまうと加害者が苦しまなくて済むようになるからだ」と言う学生さんが毎回必ずいるのですが、これもいまの話とどこか似ていると思います。要するに加害者が自己救済されることは許せないという感情ですね。それをどうするかは本当に難しい問題で、私もいまだにどう考えればいいのかわかりません。私自身は死刑制度撤廃論者ですが、一方で、あくまでもバーチャルにではあれ遺族的な立場を想像してみると、加害者が自分の生を肯定することに対して大きな不正の感覚をもつのも理解できるので。

小松原　いまのお話は非常に大事なポイントですね。私も自分の加害者に対しては「自分はこんなに苦しんだのに加害者がそんなにやすやすと生きていてたまるか」という気持ちはすごくあったし、そのリアリティを否定する気は全くない。ただそれも日によって違うというか、加害者には死んでほしいと思う日もあれば、平和に暮らしているらしいことを知ってよかったなと思う日もあります。それは被害を受けた人が抱え込まざるをえない葛藤で、苦しんでほしいという気持ちと、加害者にも生を生ききってほしいという気持ち、矛盾したさまざまな感情が渦巻いて、それはどうやっても割り切ることはできないのだと思います。

森岡　私も長い人生の中で何度か被害者になったことがありますが、加害した人物に対して「苦しんでほしい」とは、いまはもう思わないですね。どちらかというと私と関係のない世界に行ってもう二度と私に関わらないでほしいというのが正直な気持ちです。あとは自分が経験したような苦しみを感じる人がこれ以上増えてほしくないという思いもあります。このあたりは伝え方が難しいのですが、小松原さんがおっしゃったように、人間は日によっていろいろな気持ちが顔を出したり出さなかったりと非常にダイナミックですから、何か一つの答えがあるわけではないのでしょうね。そのあたりをもっと見えやすくしていくのは研究者としてなすべき作業なのかもしれません。

小松原　もちろん、個人のレベルでは「日によって違います」で済むとしても、加害者と被害者それぞれの支援団体どうしの葛藤であるとか、実際の予算配分や制度設計をどうするかという政治的な問題に踏み込むとそういうことは言っていられません。どこかで第三者的に議論して折り合いをつける必要は出てくるでしょう。私が修復的司法を好きなのは、ある意味でそういう折り合いをつける議論から撤退できるからなんです。被害者のニーズを満たすという立脚点が確固としてあるので、〝今日〟対話したい、加害者を肯定したいという被害者を迎え入れられる。そこがすごく良いと思っていて。

だから修復的司法では社会的に意義があることよりも、被害者がこれをしてほしいということをすごく大事にします。例えばレイプされたときに引きちぎられたネックレスがお母さんの遺品だったからそのぶんの代金一万円を払ってほしいと被害者から要望があったとします。社会運動的な観点からは「一万円くらいで赦してしまうと加害者が得をするのではないか」という話になるかもしれません。でも、あくまでその被害者のリアリティとして一万円払ってほしいという希望を実現できるのが修復的司法です。守秘義務があるのであまり多くは言えませんが、そういうことが修復的司法の現場ではたくさんあって、その一つひとつの実践のエピソードに私自身も支えられてきました。

赦しをめぐる（結論のない）問い

森岡　最近、新聞記者の広瀬一隆さんによる『誰も加害者を裁けない――京都・亀岡集団登校事故の遺族の10年』（晃洋書房、二〇二二年）という非常にインパクトのある本を読みました。広瀬さんはある交通事故の被害者遺族の方々と長く付き合い、その声を拾い上げているのですが、そのなかである遺族の方が、加害者について「まっとうに生きてもらわなくては困る」と言うんですね（一五三頁）。もちろん初めからそう考えていたのではなく、被害者遺族としてずっと活動をしてきたなかでそういう心境に至ったということだと思うのですが、私はその言葉に心を動かされました。というのも私はそれまで「応報感情」か「赦し」かの二分法でしか考えていなかったわけです。つまり「こっちがこれだけ酷い思いをしたのだから、お前も同じくらい苦しめ」という感情に支配されるか、赦しの境地に達するかのいずれかだと。ところが広瀬さんの本に登場する遺族の方はそのいずれでもない――例えば「刑期が終わったからといって償いが済んだわけではない」（一四八頁）ともおっしゃっているように、けっして加害者を赦したわけではないと思うのですが、しかしそれは応報感情ともまた違うものだと思う。第三の道というと大袈裟ですが、仮に私が将来同じような立場に立たされたときにも歩いていけそうな地点を模索されているように感じたのです。

小松原　応報か赦しかの二分法だけでは結局「どちらが正しいか」という話になってしまうわけですよね。でも先ほども言ったように自分自身の加害者に対する感情も日によって変わるし、ある事件について赦せないと感じることもあれば、加害者の事情もわかる気がすることもある。そのように一つのことを揺れながら考えるしかないと思うんです。

いまお話に出た「まっとうに生きてもらわなくては困る」という言葉に関しても、被害者遺族の方が何年も考え続けてきて出た言葉ですし、それ自体が正しいかよりもそこに至るプロセスのほうが大事ではないかと思います。自分の気持ちと照らし合わせると、その言葉を理解できる部分もありますし、「私も加害者に対してそう言えたらいいな」と思いつつ、「こういう話はみんな喜ぶんだろうな」というねじれた感情もあります。加害者に対してどうこうするという話はわかりやすくてウケがいいんですよ。「死刑にしたい」「罰を与えたい」の裏返しで、「加害者にまっとうに生きて欲しい」というのも加害者に対する要求の一つです。いわゆる〝善き市民〟のような人たちによっておそらく支持されるでしょうね。でも私の進んでいる赦しの道はもっとわかりにくいし、どうしようもありません。赦してしまっては加害者がまた同じことを繰り返すかもしれないし、本人にとってもいいことはない。ただ、私はそこが人間の面白いところだと思っているんです。正しいから、善いことだから赦す〝べき〟なのではなく、あるとき被害者の目の前に赦しというものがパッと現れる。それがどこから来るのか――宗教的なバックボーンがある人ならわかりやすいですが、私を含めそうではない人もいるわけですから――ということ自体に興味があります。

森岡　小松原さんは以前からその点に着目されています。被害者が加害者を赦せるかというのは、先ほどお話しした加害者自身の生の肯定をめぐる問題のちょうど裏返しのようでもあって、難しい問題ですね。赦しをいわば〝文学的〟な次元が開かれる場として捉え、そこにそのつど生起するもののかけがえのなさに注目していくというのはたしかに一つの可能性だと思います。ただしそうした捉え方は倫理学の問題、つまり正しさや善悪について考える場面においては意味をもたないかもしれない。そこをどうすればいいのかという問いが残る。

小松原　倫理学の研究者のセミナーなどでお話しすると「どうすべきだとあなたは思うのか」「被害者は加害者を赦すべきなのか」という聞き方をされることがありますが、私は「場合によるのでは」としか言えないので、話がかみ合いません。ですから私の赦しについての議論は、少なくともアカデミックな倫理学の枠組みからはズレているのでしょう。ただ、本来的には倫理というのは人が「どう生きるのか」ということであって、そこに正しさや善悪という言葉は含まれていないと私は捉えています。人間の個別の生きるさまについては文学のなかで描かれてきました。私は、こんな生き方も、あんな生き方もありますという相対化の話をしたいわけではありません。人生でどうしようもない出来事が起きたときに、私が自己の倫理を問う際に基準点にしたのは文学だったということです。正しさをめぐって精査された哲学の議論を参照するのではなく、フィクションを通して作品内の他者の倫理的選択をつぶさにとらえ、それと自分の人生を照らし合わせながら、アナロジカルに「私はどう生きるか」を考えてきたのだろうと、自分を振り返って思います。でも、このような倫理についての思考法が現在のアカデミックな倫理学研究として受け入れられるかというと、難しいでしょうね。

森岡　それは大事な点ですね。とくに西洋近代の倫理学は人間が普遍的にどう行為すべきかを論じてきたわけですが、私が個人としてこだわっているのはむしろ血塗られた次元で生きているこの個別的な「私」が自分の一度かぎりの人生をどうしていくかということで、そこが最も大事なんです。私が若いときに倫理学から距離を取って、生命学へと移っていった理由もこれです。

小松原　赦しにせよ救済にせよ、やはり被害者の生も加害者の生もそれぞれに多様であるとしか言いようがなくて、「これが正しい」という結論が出せるような問題ではないというのはずっと思っていることです。

例えば以前、戦争やテロリズムにかんする英語のテクストを一年かけて読むというゼミ形式の授業をしたとき、一人の学生が京都アニメーション放火殺人事件についての報告を――あれも一種のテロということで――してくれたことがありました(*)。彼女はすごくアニメが好きで、犯人は絶対に赦せない、死刑になって当然だと思っていたそうなのですが、報告にあたって丁寧に情報を拾っていくなかで、犯人の生い立ちや、犯行に至るまで追い詰められていった過程などの背景を知って責められなくなったというんですね。それに対して私が「そういうことを言うと被害者の気持ちを考えろという反論が来そうですが、どう答えますか?」と質問すると、その学生は「ご遺族の方が犯人を赦せないのは当然で、ただ少なくとも私たちはこういうことを知ったうえで犯人のことを考えるべきだと思う」と答えたわけです。私はその学生の話を引き継ぐ形で、期せずして修復的司法についての自分の研究の話もすることになりました。そのときしみじみ感じたのも、別に結論があるわけではないんだということでした。いろいろ知るなかで考えも変わるし、とくに若い人はフレキシブルにどんどん自分を開いていきますから。

森岡　ただ、そこには危うい面もあると思っています。例えば死刑制度を扱った授業のコメントペーパーなどで「これまで死刑廃止に反対でしたが、授業を受けて自分も死刑はないほうがいいと思いました」といった声が寄せられることがありますが、これが本当だとすると私はたった九〇分×二回の授業で学生の洗脳に成功していることになる。もしそれが教師の顔色をうかがったコメントだとしても、結局のところその学生の本心は抑圧されているわけで、いずれにしても非常に危ういですね。とくに受講者が二〇〇人くらいいる大教室の授業ではマイクをもっている私の声のほうが圧倒的に強いですし、しかも最後はこちらが成績の合否をつけるので、そこには完全に非対称な関係が成立している。加害・被害あるいは赦しといった問題を、非対称的な教育という場で扱うことの難しさを毎回痛感します。とはいえ倫理学の授業で死刑の問題を扱わないというのはありえないと私は思っているので、今後も扱い続けますが、このあたりも本当に悩ましいところです……。

小松原　それはそうです。先ほどの授業の話にしても、もしかすると私が無意識に誘導して学生たちを修復的司法の考え方へと導いたのかもしれないという疑いはあります。でも、学生が自分で資料に当たって考えて、最後に出した答えに対して、「実は私がコントロールして言わせたのだ」と解釈するのも誇大妄想的だと思いますし、かれらに対して失礼かな、とも。どう捉えるのかは難しいところです。それに自分が心地よい意見ばかりが出てくるのも危険ではありますが、同時に同じ授業でも「戦争は必要だと思いました」というレポートが来ることもあって、「私としてはそう伝えたつもりじゃなかったけど、感想は自由ですね」と思うこともあります。こう考えていくと、人間が教育を行なう面白さは、伝えることのコントロールしきれなさではないでしょうか。最近、人間に代わってＡＩが授業をする未来が予測されたりします。でも、ＡＩには正しい情報を伝えることはできても、もとからコントロールされたものなので、危険と隣り合わせの偶然性がないのはやはりつまらない。教員と学生の間の無意識同士のセッションのようなことがおこるのは、人間が授業をすることの良さの一つだと考えています。

「単独者」としての加害者――石原吉郎を読む

森岡　先ほど文学の話も出ましたが、今回の対談にあたり小松原さんから事前に、詩人・石原吉郎が自らのシベリア抑留体験について語ったエッセイ『望郷と海』（筑摩書房、一九七二年）を取り上げたいという提案をいただきました。たいへんインパクトのある書物なのですが、この本を選ばれた理由はどのあたりにあるのでしょうか。

小松原　率直に言うと、私が加害者について考えるうえで唯一参照できそうだと思ったのが石原吉郎でした。ただ、昨晩、細見和之さんの『石原吉郎――シベリア抑留詩人の生と詩』（中央公論新社、二〇一五年）を読んだのですが、それで石原の捉え方が大きく変わってしまいました。『望郷と海』は、学生運動・社会運動の盛り上がりの中で、石原がある種の期待に応えて書いた可能性があることを細見さんは指摘しています。石原はもともと詩人でシベリアからの帰還後、ゆたかな言語世界が横溢する作品を発表していました。それが、エッセイでは概念化された被害－加害関係が思考枠組みとして設定され、石原はそれに自縄自縛になっていったというのが細見さんの解釈です。石原の詩は明るくのびのびとしているのに、エッセイはシベリア抑留を追体験して書くことで言葉が切り詰められていくし、本人も精神的にすごく苦しんだのではないかと。私はその指摘に納得してしまいました。周りの期待に応える形で、石原が被害－加害関係について考え、それによって追い詰められた可能性はよくわかります。私も被害者の立場から本を出して、加害者について考えることを求められているわけで、「ああ、あり得る」と思いました。しかし、私は「石原がそういう人だからこそ好きなんだ」とも思うんですよ。毅然として自分を貫くのではなく、周りにのせられてしまうところが。

さらに細見さんは、石原は加害者を告発しないと言いながら、実は彼は被害者ポジションに立っていることを指摘します。自分の被害体験にこだわるがゆえにあえて告発せず、「加害者として考えたい」と言ってしまう。誠実そうに見えて、ほかの人には批判されにくいポジションをとっていて、ある意味ではずるいとも言えます。でも、私はそういう石原に対して「これこそ被害者」だと思いました。私自身も被害者というアイデンティティをもって、そこに囚われている。でも私の場合は、それが悪いとも思えなくて。だから「被害‐加害関係を超えて」などと言われると私は「超えられないです」と即答してしまう。修復的司法を研究しはじめたときに「小松原さんは被害者と加害者を固定化しない考え方をするんですね」と言われて「違います。被害者と加害者は絶対に分けます」と力説してしまったこともあります。石原自身は被害‐加害関係に囚われることで苦しんだのかもしれませんが、そうやって苦しみながら書いてくれたことに対して、私は石原が自分に寄り添ってくれたように感じた。だから私は彼の本に惹かれ、救われる気持ちを味わったんだと思っています。

森岡　『望郷と海』の冒頭付近に、まさしく被害‐加害関係について石原が圧縮して書いている箇所がありますね。そこで彼はこういうことを言っています――「おそらく加害と被害が対置される場では、被害者は〈集団としての存在〉でしかない。（…）しかし加害の側へ押しやられる者は、加害において単独となる危機にたえまなくさらされているのである。人が加害の場に立つとき、彼はつねに疎外と孤独により近い位置にある。そしてついに一人の加害者が、加害者の位置から進んで脱落する。そのとき、加害者と被害者という非人間的な対峙のなかから、はじめて一人の人間が生まれる。〈人間〉はつねに加害者のなかから生まれる。被害者のなかからは生まれない」（みすず書房版［二〇一二年］、二九頁より引用）。

これはどういうことなのか。この一節の前後を通じて彼がずっと論じていたのは死の単独性という問題でした。要するにジェノサイドの問題は「一時に大量の人間が殺戮されること」にあるのではなく「そのなかに、ひとりひとりの死がない」こと――個々の死者が固有名をもった存在であるという単独性が消されてしまう、その無名性にこそあるのだというわけです（同、二頁）。その意味で被害者は「集団」でしかなく、単独者としての加害者からこそ人間は立ち上がるのだと、石原の言葉を正面から受け取るならばそういうことになる。ここで言われていることの真意を理解するのはなかなか難しいですが、私にとってはかなり突き刺さることを言っていて、だからこの箇所を読む限り、ただ時代の要請に応じたというだけでは納得できない部分が残るんです。

最初に言ったように私は自分が加害者であるという意識をずっと持っていて、それは実際に血塗られた加害をしたことが何度もあるということでもありますが、もう少し抽象化して「加害するシステムの一員である」という意味で「加害者である」ことを考えるなら、同様に加害性で血塗られている人は私だけでなく非常に多いだろうと思うわけです。そこで仮に加害者が救済されたり、赦されたりすることはあってはならないという考え方を取った場合、地球上に生きるほとんどの人は救済も、赦しも、生の肯定も得られないことになってしまう気がする。これは戦後ずっと言われてきた問題でもあり、しかしいまだに解決されていないと思うのですが、おそらく石原の「〈人間〉はつねに加害者のなかから生まれる」という言葉はそうした文脈で読めるのではないか。加害者の自覚から人間へと生まれ直すというのは、単なる加害への懺悔といったレベルを超える、相当骨太なことを言っている。石原の場合は根底にキリスト教があるのですが、しかし神がなくてもこれは可能でなくてはならないと私は考えます。これは私が自身の問題としてずっと考えていきたいと思っているテーマです。

小松原　ハンナ・アーレントも『人間の条件』のなかで赦しについて似たようなことを言っていますね。赦さないと前に進めない、人間は前に進むために赦すんだと。でも、自分の被害者性を手放せない私は「それならもう前に進まなくてもいいじゃないか」と思うわけです――別に人類のために生きているわけではないし、私が赦さないことで人類が滅びるなら滅べばいいという、そういう頑なさがあって。誰もが加害をしているというのはたしかに当然のことです。例えば私が参加していた自助グループにも、逮捕歴があったり刑務所に収監されたことがあったりと〝ガチの〟加害経験があったうえで被害者として来られている方もそれなりにいました。もちろんそれが嫌だった人もいると思いますが、自助グループというのは誰も否定しない場なので、みんなそのまま受け入れていたんですよ。そのときに自分がその人の被害性や加害性というものについて何か考えていたかというと、そんなことはなくて、ただ「次に会うときまで生きていてほしいな」と思うばかりだった——それもわからないくらいにギリギリのところでみんな生きていましたから。そういう切迫感から乖離したところで「被害経験と加害経験を併せもつ人をどう思うか」と言われても、わからないんですよね。あのとき目の前にいた人の姿を思い出しながら、赦す・赦さないではなく「生きていてほしいです」としか言えない。石原の言う「単独者」とはそういうことだと思うんです。さらに言えば、これは石原自身がはっきり述べているわけではないのですが、彼が加害者としての単独者と言うとき、そこにはシベリアで他者を押しのけて生き延びてしまったことの罪悪感があると私は思っています。本当に善き人間は帰ってこなかった、生きている時点で自分はもう善き人間ではないという強迫的な信念があったのではないかと。

生きのびてしまったことへの罪悪感が加害者の自覚と結びつくのですね。いまのお話を伺って、小松原さんの考えようとしていることと実はかなり近い地点に自分もいるような気がしました。

森岡　私はこのところ反出生主義というものについて考えているのですが、なぜ自分がその研究にコミットしているのかというと、一つには反出生主義のなかのとくに誕生否定――自分は生まれてこなければよかったという考え方――が、私自身のなかにはっきりあることを自覚しているからなんですね。つまり私が存在して加害行為をしたこの宇宙と、私が初めから生まれてこなかった宇宙の二つがあるとしたら、後者のほうが良い宇宙ではないかと思わざるをえないのです。論理的に証明できることではなく、ただそう思っているという事実なのですが、それは私のなかに強くあります。このことは二〇年ほど前に書いた『無痛文明論』(トランスビュー、二〇〇三年)の議論にも通じていて、そこにもやはり加害の問題が背景としてありました。私がこの宇宙に生まれてきた以上、そうでない宇宙にはもう戻れないわけだから、そこで「単独者」としての私は残りの生をどう生きればいいのか。そしてその私が組み込まれている社会や政治、科学や文明との関係をどうすればいいか。これが『無痛文明論』の根本をなすテーマでした。その意味では私も、概念としての「加害性」や「被害性」の絡みあったシステムを解きほぐす言説生産への参与にはあまり興味がない。むしろ私自身がどうして生まれてきて、こういう人生を生きる運命になっているのかという問いのほうが本質的なんです。

面白いことに『無痛文明論』は左翼からの評判が非常に悪かったのですが、それはあの議論に仮想敵が存在しないからなんですね。つまり——もし敵が存在するとすればそれは私のなかにしか見出せないし、そこからどうすれば脱出できるかを延々考えているような話で、これは裏を返せば「連帯する被害者がない」とも言える。そこが戦後の左翼の理論とは基本的に折り合わないわけです。

小松原　冒頭にも「被害者との連帯」についてのお話がありましたが、加害者と被害者に限らず被害者同士であっても、連帯するというのはすごく難しい。私はよく連帯について、それは「思い込み」とか「勘違い」であるという説明をします。例えば田中美津はベトナムの戦災孤児の救援活動に携わるにあたって「ベトナムの子どもは私だ」と言っているのですが、当然そうではないですよね。ベトナムの子どもはあなたではない。また石牟礼道子も水俣病の患者さんたちに対して「片想い」や「乗り移り」という言い方で自分を一体化させてしまうのですが、それもやはり幻想です。それでも、そういう「思い込み」こそが実際に運動の起点になるわけです。自助グループでの経験においても「あなたは私だ」という強烈な思い込みがあって、幻想でしかないのだけど、そういう感情の投影や、ときには病理化されるような自他境界の曖昧さや退行状態を通じて――成熟した市民ではない、もっとダメな、弱い人として初めて――他人とのダイレクトな連帯が生まれてくる。

そしてそれは義務や理念の話ではなく、ここでもやはり「どうあるべきか」という議論は無効でしょう。自分が大事に思えた人を大事にするしかないし、誰かがどうにかできることではない。そしておそらくここからジャック・デリダのいう「歓待」に繋がっていくのではないかと思うのです。それは優しい世界などでは全くなくて、自分が共感してもらえるかも大事にされるかもわからないところに、とにかくいるしかないという。とはいえそれをもとに市民社会の制度設計をするのは問題があります。だから、共感できない相手であっても救われる制度にしましょうというのは理念としては非常によくわかるのですが、森岡さんのおっしゃるところの「血塗られた」次元において、制度というものはそもそも無効でしょう。先ほど議論があった加害者の救済をめぐる問題も、被害者が「それでも幸せになってほしい」と加害者に対して思うというのは理性を超えたところにあるもので、それこそ論理的に説明できない、ただ「私はそう思う」としか言えないような世界ではないかと思います。

学術と「私」のはざまで

森岡　たしかにそうかもしれませんね。ここまで小松原さんのお話をいろいろと伺ってきて、私が最後に考えてみたいと思うのは「学術とは何か」ということです。小松原さんはいわゆる「運動」として被害者や加害者にかかわってきた一方で、同時に学術としてもその問題を追究したいという強い希望があったのではないかと思います。ところが、では学術とは一体何かと考えていくと、それはまさに単独者の単独性を消していくことで何か別の普遍的・客観的なものを見いだそうとする作業でもあるわけですね。それで、小松原さんが学術にコミットすることの意義をどこに認めているのかということはぜひお聞きしたいと思いました。なぜならそれは私自身にとっても大きな問題だからです。例えば先ほどふれた『無痛文明論』や、あるいは『感じない男』（ちくま新書、二〇〇五年）のような議論は大学のなかで扱えない。ただ、それは私の哲学にすごく大事なものとして含み込まれているので、その意味で極端なことを言えば哲学はもはや学術でなくてもいいのではないか、と思っているんです。

小松原　それはまさにここ一ヶ月間くらい考えていたことで、というのも私のなかで被害者の自己と研究者の自己が統合されていないことに気づきました。研究者としてコメントを求められたときと、被害者として——例えば今日は選択的に被害者のポジションを取っていますが——語るときとでは言うことが違って、別人のようになってしまっている。それはおそらく就職の厳しい初期キャリアの研究者として業績主義に適応していくなかで、どこかで被害者の自己を切り捨ててしまった、そうしないと研究にならなかったという背景があります。といっても別にそれは悲しいことではなくて、むしろ研究者の自己はすごく元気なんですよ。トラウマにも左右されないし、社交的でもあるし。おそらく自分にとって研究というのは〝解放〟——つまり自分という存在から距離を置くための一つの方法なのだと思います。それはあくまでも自分のためなので「学術の意義」と言われると難しいけれど、少なくとも私自身はサバイバルメソッドの一つとして学問を、しかもかなり直感的に選んだのかなという気がする。もともと大学院に入るずっと前から趣味でブログや小説は書いていましたが、自分は被害性に囚われていて、それを源泉に文章を書いているのはよくわかっていたので、被害者ではなくなったときに自分に書けるものがなくなってはまずいなと、若いときから認識していました。だから、もっと知識や技術を積み上げていくような文章を学びたかったし、それならば研究者のトレーニングを積むのが良いだろうと思いました。つまり、書き続けるために人生の選択をしたところがあります。その戦略はけっこう正解でしたね。大学院で、自分と異なる考え方をもった人や、自分が嫌いな人の文章であっても読まなくてはいけないという、ある種の苦行を続けるうちにタフになりましたし、さまざまな情報を自分の手のなかに置いて使えるようになることが、自分を自由にしてくれたと感じます。

現在は二〇二一年からベルギーのルーヴェン・カトリック大学で犯罪学研究科に所属しているのですが、やはり哲学の分野とは雰囲気が全く違います。みなさん被害–加害関係にかかわる研究をされているので、私が自分の被害をカムアウトしても「そうなんだ、言ってくれてありがとう!」とか「私もその問題に関心がありますよ」といった反応で気楽です。しかも〝学際ここに極まれり〟というか、私はグリーン犯罪学という、環境問題を犯罪学的に捉えて政策提言などもする研究に携わっているのですが、学会発表の半分くらいは活動家による実績報告だったりします。いわゆる〝学問〟らしいことをしている人ばかりではなく、私が多少怪しいことを言っても誰も気にしない。学術として何かをなしたいと思っている自分と、被害者としてものを言いたい自分とがぐちゃぐちゃのままでいられる一種の猶予期間のような、面白い時期に入ってきています。だから研究者の自己として生きていくことに対しては、いまは楽観的なのですが、ただ、そこから被害者の自己に戻ったとき、それが本当に被害者の視点から役に立つかといわれると「うーん、それはちょっと……」と思ってしまう。そこはまだ分裂していますね。

森岡　私はこれまでずっと自分を棚上げにしない知の方法にこだわってきて、それはいまも変わらないのですが、それればかりだと自分に対し過度に抑圧的になるというか、自らのもつ知的な可能性に蓋をしてしまいかねないことに、あるとき気づいた。それで、私には二つ車輪が必要だなと感じたんです。つまり一つは私が「生命学」と呼んでいる、自分を棚上げにしない知のあり方。もう一つは「生命の哲学」として、生まれて死んでいく人たちと関わりをもちながら、それがそもそもどういうことかを一歩引いたところから哲学的に分析していくやり方で、この場合はむしろ積極的に自分を棚上げにできるわけですよ。突き放した思考によって「ここにこのような解くべき問題がある」ということがクリアになってきて、その問題に対し「いままではこんなふうに解かれてきたけれど、別の解き方のほうがもっと優れているし、いろいろな人の役に立つよね」という仕方で接近できるようになる。これはアカデミーのなかで充分にできる、というか王道ですね。そして今度はそこでわかったことを、自分を棚上げにしない方法としての生命学にフィードバックすることも可能になるわけですが、こちらのほうはアカデミーの世界に容易にもちこめるものではないと思います。

私個人としてはその二つの車輪を残りの人生において統合したい。別に他人に強制することではないですが、哲学者というのは統合するのが好きな人が多いですから、おそらく私もそのタイプで、統合できれば新しい世界が開けるだろうと思っています。とはいえなかなか弁証法的に統合できない可能性も高いですし、とりあえずは両方の世界に引き裂かれながらそのあいだでやっていくしかない。おそらく加害–被害関係に関しても同じような面があるのではないでしょうか。

小松原　石原吉郎の話に戻ると、自分の被害に拘泥してそこにフォーカスしていくことで被害－加害関係を概念化して提示しようとした彼のスタンスもよくわかるのですが、自分はそれを敢えて選ばなかったという意識が強くあります。もしかすると石原の路線で行けば学術的にもより認められる形で書けたかもしれない。ただ、それだと私はもっと辛かった気がします。自分の経験をアカデミックな意味での業績にすることにはおそらく耐えられなかったでしょう。つまり学術的に評価されたいのは私の研究であって私自身ではないという気持ちがすごく強くあるわけです。もちろん研究者として、分裂した自己をさらに対象化してアカデミックに提示するということも可能ですが、どうしてもトラウマの部分は学術の場に置きたくなかったし、あたかもこれが何らかの真理を指し示すものかのようには書きたくなかった。先ほど趣味で小説を書いていたと言いましたが、それは高尚な文学ではなく、ケータイ小説とか同人小説のようなもっとポップなもので、読み手としても一〇代・二〇代の若い女性を想定していました。論理で自分の経験を概念化していくというよりも、あくまでもフィクションとして通俗的に消費できるものにしたかったんですね。傷をただ曝け出すのではなくて、それを飾り立ててお見せするための〝紛い物〟のようにするというか。そこにはクィアの人たちのパフォーマンスの歴史を学んだことからの影響もあると思います。また子どものころから民話や神話が好きだったのも、過去に起きた悲劇をファンタジーに変えているところに惹かれたんでしょうね。そういうものへの憧れがあったので、自分の経験を見せることはパフォーマティヴな仕方でやりたかった。でも、森岡さんがおっしゃるように「統合したい」というのもわかりますし、統合したい気持ちが私自身にも、おそらくないわけではないのですが……そこに学術に対する私のアンビバレントな姿勢があると感じています。

森岡　心身から血を流しているこの私をどうするかという話と、もっと一般的に、そもそも加害や被害とは一体何か、それを制度のなかでどう位置付けるべきかということの二つの話はいずれも重要で、かといって簡単には統合できない。小松原さんはその地点で揺れているし、私は目の前にそそり立つ絶壁のようにそれを見ている。おそらく「統合できない」という点に、いまの私たちが知っている学術の限界があるのだと思います。現代の学術には、私たち自身が抱え込んでいる傷のようなものに対するアプローチがきちんとできていないところがあって、そこを繊細に正直に見ていく必要がある。ですからもし仮に統合が生じうるとすれば、それは現在の学術のパラダイムが崩れるときでしょうね。学術と言うと大きすぎるなら「哲学」でも

「犯罪学」でもいいですが、それらを内側から崩していくことへの参与を通してのみ、二つの世界の統合が見えてくるのではないか。抽象的な次元の試みになるかもしれませんが、学術を壊しながらこの二つを結んでみたいと個人的に考えています。

（＊）当該の授業における学生の報告・発言については、発言者（小松原）より参加者の許諾を得ている。

（二〇二二年四月一八日）

解説　加害者であることを引き受けられるのか？

小松原さんとの対談は、加害者について考えるものだった。これまで、被害者について考える企画はたくさんあったが、加害者についてはあまりなかったように思う。小松原さんは被害者についての本が話題になった直後だったので、対談は被害者と加害者の双方の視点で進んでいった。

加害者について考えるとき、自分をどのような位置に置くかがポイントになる。ひとつの例をあげておこう。

『朝日新聞』二〇二二年九月三〇日の「天声人語」は、「反戦歌を口ずさむことが増えた」という言葉で始まる。そして、ウクライナ侵攻をするロシア国内では「戦争反対」のひとことが言えない社会になっており、それが人々を引き裂いていると指摘する。著者は、かつてのベトナム戦争のときに歌われた反戦フォークソングを紹介し、「ラブソングであるがゆえに強い叫びとなる。人間として家族として恋人として友人として、戦争を憎む。停戦はまだか」とコラムは結ばれている。

私はこの「天声人語」の圧倒的な「他人事の感覚」に驚かざるを得なかった。この著者は、自分自身をどのような位置に置いているのか。ロシア兵による蛮行で多くのウクライナの人々が苦しんでいる。それなのに、反戦歌を「口ずさむことが増えた」という応答の仕方はどういうことだろうか。強めの表現をすれば、ここに見られるのは、かつてベトナム戦争のときに、反戦フォークソングを仲間と一緒に歌ったあの頃への切ない感傷の気持ち以外のなにものでもない。戦争を憎み、停戦を待ち望む平和志向の自分に対する強い自己愛感覚である。

もちろん、つらい現実のなかで反戦歌を口ずさむことによって、圧政への抵抗を継続している人たちはきっと存在するだろう。しかしこの「天声人語」の著者はそのような環境に置かれているわけではない。『朝日新聞』で「反戦歌を口ずさむことが増えた」と書くことによって、著者は何かの間接的な加害に加担したのではないか。

ロシアのウクライナ侵攻が始まったとき、ヴィットリオ・デ・シーカの映画『ひまわり』を上映する映画館があった。この映画の冒頭とラストで、画面いっぱいに広大なひまわり畑が映し出されるが、これはウクライナで撮影されたものである。第二次大戦の冬季にこの地でおびただしい数の兵士が死亡し、戦争が終わった夏に、その大地から無数のひまわりが咲き誇るというシーンである。この映画は、戦争が一般市民の日常と幸福をいかに残酷に切り裂くのかを描いたものであり、涙なしに観ることはできない。

私はこの映画をもういちど観たいと思ったが、映画館に足を運ぶ気持ちにはなれなかった。なぜなら、ロシア軍の侵略によって、まさにいまウクライナの市民たちの日常は破壊され、人々は殺され、暴行され、家族は引き裂かれているのだ。平和な日本の映画館という安全地帯に守られて、悲劇の人間ドラマを傍観者のように鑑賞することに、いったいどのような意味があるというのか。まさに『ひまわり』のテーマであるところの、戦争による恋人たちや夫婦の強制的な離別が、現にウクライナ国境で起きているのである。映画館のスクリーンの上で繰り広げられる離別のドラマに陶酔する私たちはいったい何者なのか。

小松原さんとの対談で、私は「被害者との連帯」などできるはずがないと述べた。なぜなら私は加害者であるから、私が直接的、間接的、構造的に加害した相手とはいかなる意味でも連帯することはできない。私ができることは、私が行なったような加害が、将来、この地上で誰によっても繰り返されないようにするにはどうしたらいいのかをしっかりと考え、それを実現するために行動していくことのみである。

私は被害者という立場になったことはあるけれども、第一義的には私は加害者である。加害者が担うべき最大の問題は、自分の加害行為によって生じた被害それ自体はけっして償われないということである。たとえ被害者に刻み込まれた傷が癒えることはあったとしても、その傷が被害者に刻まれたという事実それ自体を消し去ることはできない。被害が起きたという事実は歴史に不可逆的に刻み込まれ、けっしてなかったことにはできないのである。もちろん、被害者が立ち直ることはあり得るし、加害者が心の底から謝罪して改心することもあり得るし、両者が和解することもあり得る。しかしそのような和解が起きたとしても、加害者による加害の事実を歴史から消去することは不可能である。加害は起きたのであり、血は流れたのであり、それは被害者を絶望へと陥れたのである。事後に和解や赦しが達成されたからと言って、加害の罪が帳消しにされるわけではない。

もし石原吉郎の言うように、「〈人間〉はつねに加害者のなかから生まれる」のだとしたら、そのとき加害者は、私がいま述べたような加害の原点から動いてはいけないのではないか。加害者は、加害の原点に立ち止まり、立ちすくみ、償いのあり得ないその現場から一歩も動けないという存在の仕方を貫くことによってしか、人間の共同体に再参入することはできないのではないか。加害者から〈人間〉が生まれるとは、このようなことを意味するはずである。

これはあまりにも強い条件を加害者に課していると言われるかもしれない。だが、このような強い条件下においてのみ、加害者は、「みずからの行なったような加害がもう二度と地上に起きないようにするために私はどうすればいいのか」を、自分自身の問題として考えることができるのだと私には思われる。これは、「いったい何回謝罪しろと言うんだ!」という言葉を被害者に向けて発するような加害者の姿勢とは正反対のものである。と同時にこれは、「加害者は被害者に対して無限の懺悔を行なわなければならない」という考え方とも異なる。繰り返される懺悔とは、結局のところ、加害行為のまったくの裏返しに他ならない。単に反転しているだけで、同じ構造が繰り返されているのである。

加害を行なった人は、どのように生きていけばいいのか。ほとんどすべての人は、加害を行なったことがあるはずだ。加害行為には直接的なもの、間接的なもの、構造的なものがある。直接的な加害とは、実際に人を殴ったり、裏切ったり、傷つけたりすることである。間接的な加害とは、他人が助けを求めているときにそれを無視したり、そのような声を聞かなくてすむような場所に閉じこもったりすることである。構造的な加害とは、私たちがふだんの生活を営むことによって現状の社会構造が維持され、それによって弱い境遇にある人たちが被害の対象として固定される結果となるような加害である。私たちのほとんどは、多かれ少なかれ、これら三つの加害から自由ではないだろう。もしそのとおりだと思うのなら、読者のあなたもまた加害者の側面があると認識したほうがいい。

小松原さんは、対談で、「加害者というある種の当事者性をもつことへの欲望」の存在について語っている。そして、「私自身は「加害性」を問うている人よりも、実際に「加害者」という生き方をしている人に関心があります」と述べる。

これはたいへん鋭い指摘であり、私も目を開かされた。たしかに、私は自分自身を加害者として同定している。このような加害者としての位置取りへの固着そのものが、小松原さんの言う当事者性への欲望なのかもしれない。しかしながら、自分自身を緻密に内省してみるに、私の欲望はそれではないように思われる。もし私の持っている欲望があるとすれば、それは、自分が加害者であるという状態から脱出したいという欲望である。加害者としての人生はもうやめたい、という欲望である。しかし生きることはほぼ間違いなく何かの加害者になることであるから、この欲望を完全にかなえるためには、私はそもそも生まれてこないほうが良かったのだということになってしまう。まさにここにおいて、加害と反出生主義とのあいだに一本の通路が引かれるのである。

他人を加害するような人生を送ることになるのなら、私ははじめから生まれてこないほうが良かった。これが私の心の最深部で響き続けている声である。そして私が反出生主義の研究を集中して行なった理由のひとつも、ここにある。しかし、生まれてこないほうが良かったといくら言ったとしても、私はすでに生まれてきてしまっている。いまから、生まれなかった状態に戻るのは不可能である。

だとすれば、私はこれからの人生で何をしていくべきなのだろうか。私にとって倫理とは人生を品行方正に生きることではなく、残された人生を加害の経験者としてどのように生きればいいのかを探求することである。それはけっして懺悔を繰り返すことではないし、必然性がないのに謝罪することでもない。

また、それらを知的な次元での探求に結びつけなければならない。この対談が、学問とは何かという話題に行き着いたのも必然だったと言える。血塗られた場所にとどまりつつ、それをどのようにして自分の人生へと知的に関わらせるのかという次元と、その血塗られた場所から自分を引きはがし、高みから見下ろすことによって問題状況の全体像と本質を知的に把握するという次元の両方を、学問は持つべきであるというのが私の考え方である。この二つはおそらく統合されることはないし、この二つのあいだには緊張関係が続くであろうが、まさにその緊張関係こそが学問に存在意義を与えることになるのだと私は考える。この点は、第4章の対談において、アカデミアの内側と外側のあいだの緊張関係としてふたたび論じられることになる。

第3章

日本的なるものを超えた未来の哲学

×山口尚

山口尚
やまぐち・しょう

一九七八年生まれ。哲学者。専門は、形而上学、心の哲学、宗教哲学、自由意志について。著書に『幸福と人生の意味の哲学――なぜ私たちは生きていかねばならないのか』(トランスビュー)、『日本哲学の最前線』(講談社現代新書)、『人間の自由と物語の哲学――私たちは何者か』(トランスビュー)などがある。

森岡

大森哲学との出会い

私が東京大学に入学した当時、大森さんはまだ駒場におられましたが、私が理系だったこともあり直接の接点はありませんでした。その後文学部に移ると雰囲気は随分違って、当時の哲学系の学生の多くは大森派か廣松渉派のどちらかで二人とも非常に人気が高かったです。大森と廣松が戦後日本の生んだ独創的な哲学者だと思っている人がほとんどで、どちらかに肩入れしていたという印象でした。

私が最初に大森さんの著作と出会ったのは、本郷キャンパスの図書館です。一九八二年に東京大学出版会から刊行されたばかりの『新視覚新論』が新刊の棚に置いてあった。読んでみるととても引き込まれて、いまでも大森さんの中で一番好きな本がこの『新視覚新論』です。その後直接お会いしたのは、大森さんが東京大学を去った後のおそらく八五年頃のことだと思います。哲学系の研究会で二度ほどお会いし、私は大森さんに一回だけ何か質問した記憶があります。何を喋ったかは全然覚えていませんが、大森さんが答えてくれたのはとても嬉しかったです。

直接お会いしたのはそれぐらいですから、私は大森さんの学問上の弟子筋ではありません。けれども院生の頃には私淑しているという感じで、個人的に非常に強い影響を受けました。最も影響を受けたのは大森さんの哲学のスタイルです。どういうことかと言うと、例えばカントやハイデガーといった個別の哲学者について論文を書くのではなく、自分が気になっているテーマについて自分で考えて論文や本を書く、ということです。哲学は先達の研究を参考にしたり検証したりするのはもちろん大事ですが、それをしながらも自分が考えたいことを書きたいように書けばいい。これは当時のアカデミシャンとして大森さんは非常に独特だったと思います。私が大森さんから受け継いだのは学説とは別にしてこの哲学のやり方です。

山口　山口さんは大森さんからだいぶ世代は下になると思いますが、山口さんが学生の頃は大森さんはどのように受け取られていましたか?

もちろん直接会ったことはなく、例えば中島義道さんの本を読んで間接的に知るという感じでした。ゼロ年代初頭に自分の周囲が大森荘蔵に関心を持っていたり重要視していたりということはなく、僕の世代にとって大森荘蔵というのはとりあえず哲学に携わるものなら誰でも読むというものではなくなっていたのではないかという気がします。哲学を始めた経緯にもよると思いますが、僕自身を振り返ってみても長らく大森荘蔵に接触せずに済ませてきました。僕はゼロ年代から分析哲学を専門としていて、その間は心の哲学や知覚の哲学という大森と近い分野に携わっていたので読む理由があったはずなのですが、関心には入ってきませんでした。

僕が大森に取り組むようになったのは、分析哲学にこだわらなくなってからです。二〇一〇年代の半ば頃に分析哲学の研究から一歩引いて、自分の言葉で哲学しよう、自分の関心で哲学をしようと思い始めたときに、先達として例えば大森荘蔵がいるじゃないかと意識し始めた。僕の関心は自由意志の問題にあり、ちょうど大森荘蔵には「予言破りの自由」という概念がある。これはもう読まねばならないということで、論文「決定論の論理と、自由」（飯田隆他編『大森荘蔵セレクション』平凡社ライブラリー、二〇一一年所収）を読みました。これは面白かったし、よくわかる論文だと思いました。それにつづいて、そのころちょうど文庫化された『物と心』（ちくま学芸文庫、二〇一五年）を読みました。しかし『物と心』では大森荘蔵が何をこんなに頑張っているのかよくわからない。僕の大森体験としては、自由意志問題を論じている大森荘蔵はよくわかるけれど、彼が一番力を入れた知覚の問題は正直なところどうもピンとこない。ただしこれは、僕のような大森荘蔵と全面的には関心を共有しない人間にも所々とても面白いところがある、ということを意味しており、やはり簡単じゃないというかすごい人だという気がします。

森岡　一九七〇年代から八〇年代は、英米の分析哲学の日本への導入はいまから考えるとまだ初期段階だったということもあって、いわゆる分析哲学の古典的なものが主に紹介され、大森さんの議論もそれと呼応しながら作られていたような感じがします。例えば大森さんやその周りにいた当時の分析哲学に近い人たちが熱心に取り組んでいたのは、いわゆる心身問題です。いかにして心身二元論が虚構であるかを明らかにする——大森さんの言葉でいうと「解毒」するのか——という文脈で大森さんは科学哲学的なところから始めて、その中で大森さんは独創的な思索を立ち上げ、「立ち現われ」や「重ね描き」といった非常にユニークな概念を作り上げました。ですから英語圏の哲学の議論を背景として大森さんの七〇年代から八〇年代の議論が成立しているのでしょう。その後、二一世紀になって英米の同時代の多様で豊かな分析哲学の成果が日本に導入され、がらっと流れが変わるので、その中で大森さんの議論自体が忘れ去られていったところもあるとは感じます。

山口　世紀の変わり目頃から英語圏の心の哲学を勉強するにしても大森的ではない仕方で心を論じる著書がどんどん出始めていた。柴田正良さんや戸田山和久さんや信原幸弘さんがそうだと思いますが、彼らが英語圏の唯物論的な議論を直輸入して心の哲学をやっている。かつては大森荘蔵の紹介を通して分析哲学を学ぶという時代があったと思いますが、その頃とは状況が結構違う気がします。

見透し線のその先

森岡　私は大森さんの哲学の中でとくに三つの論点――見透し線、ロボットと意識の問題、ことだま論――が非常にユニークで面白く、そしてさらなる展開が可能だと思うので、それについて少しお話ししてみたいと思います。

まず見透し線という概念で大森さんがどういうことを考えていたのか。例えば地球から非常に遠い星を見る時に、赤い光が見える。その光は何光年も先から発せられているので、すごく昔の光が通ってきていま私の目に入っているということになります。もしその星がすでに消滅していたとしたら、いま見えている星は、星がじかに見えているのではなく何年も前の星の像が見えているのだと物理学的には理解されます。しかし大森さんはそれを間違いだとし、いま見える星の光はその光が何年にもわたって通ってきたすべての過去の時間、そして通ってきた宇宙空間から受けたさまざまな影響が時間・空間的にすべて累積されてただいまここでじかに見えていると考えます。我々は常にこの時空の累積を見ていると『新視覚新論』では説明されます。星の話はわかりやすいですが、目の前のコップを見たときも同じです。時間・空間を経由してきた累積であり歴史であるものをただいまじかに見ているということになるわけです。

これに加えて大森さんが強調するのは、現象学でよく言われる、我々は見えていないものも見ているということです。例えば目の前にコップがある時に、我々はコップの表側を直接に知覚しているけれども裏側は知覚していない。しかしそのコップは見えていない裏側を持ったものとして現われている、という話があります。これは現象学の基礎ですが、大森さんは『新視覚新論』では、「眼をくっつけて小さな花の奥を覗き込んだときの風景、それらもまた全宇宙の風景なのである」（講談社学術文庫、二〇二一年、八一頁）と文学的な表現で説明しています。目の前の小さなものを見ているときに、そこに目の前にない全宇宙が登場しているというわけです。

したがって大森さんの見透し線と、部分に宇宙全体がじかに現われているという二つを合わせてみると、おそらく次のようなことが言えます。つまり、我々が何かを見る時に、知覚は過去の思いにまで伸びていくということです。例えば戦国時代のお城を見るときに、知覚だけで考えるとお城にぶつかったところで見透し線は終わります。しかし実はそうではなくて、現象学的な視点を加味すれば、この古城は信長とだれだれが決戦した時のお城だ、と見透し線は城の表面で止まらずに、もっと先の過去の歴史の方にまで伸びていると捉えることもできる。そういう歴史が知覚ではなく、大森さんの言い方をすれば思いとして見透し線の累積上にじかに立ち現われている。そして大森さんの論旨を拡張すると、時間と空間をすべて繋いでいくような無限に伸びる見透し線が考えられ、見透し線は知覚の地平を越える。そんなところまで言えるだろうと前から考えています。私としては、見透し線はそういう形で誤読も含めてまだ展開できる余地があって面白いのではないかと思っています。

山口　いま森岡さんが紹介された大森荘蔵の世界の捉え方はちょうど大森らしい特徴が二つ出ています。しかもそれは我々の知覚観を変えるような力をもちます。一つは全体論的なところです。例えば目の前に花がある時、それを花として見ているのだけれども、ここにある花として見ている。つまり、背景込みでその花として捉えられる。これは言われてみるとたしかにそうです。ある家を見る時も、家そのものを見るというより、どういう空間の中にその家があるかなどを込みで我々は捉えていて、それによって寂しい家だとか味のある家だとか考えます。

全体論に加えてもう一つのポイントは、大森荘蔵の立ち現われが思ったより豊かであるというところです。立ち現われは単なる現象で、我々に現前するものだけが立ち現われのすべてかというとまったくそんなことなく、「思い的立ち現われ」というものがある。我々はそれによってある建物を見る時も――先ほどの例でいうと歴史ですね――歴史的な思いをもちながら見て、それによって建物の捉え方も変わってくる。ですから、例えばセンスデータを組み合わせて一切を作っていくというのとは全然違うような知覚観を大森は持っていて、これは現代の知覚論との絡みでも深堀りする価値があるような考え方だと思います。

森岡　そうですね。だから大森さんの見透し線という概念の面白さは、知覚の見透し線がいつのまにか思い的な見透し線とシームレスに繋がっているというような発展のさせ方があるところだと思います。

山口　見透し線はいろいろな知覚をめぐる問題を処理できるポテンシャルを持っている立場です。じっさいそれで脳と知覚の関係も面白く説明できます。例えば我々は脳から知覚表象が生まれると思うことがありますが、脳という物理的なものがどういう因果関係をもって表象という心的なものを生み出すのか、よく考えるとわからない。表象と脳の関係を因果と捉えるわけにはいかない。それではどうするかというと、大森においては、脳透視という考え方が登場します。すなわち、脳に損傷が生じてものが見えにくくなるのは視点的に見透し線のあいだに遮断が入るからだ、という仕方の説明です。例えば我々が目の前に赤いセロハンを置かれたら風景がすべて赤くなりますが、このように見透し線の間の遮蔽関係は風景を変えます。脳透視は、これと同じ原理で脳に損傷がある時に視覚に変化が生じる、とする考え方です。

ポイントは、セロハンを置くことによって風景が変わるのは因果とは違うということ。因果は無視点的な客観物で記述できますが、人がいてセロハンがあって風景が変わるという事態は視点込みでなければ記述できません。大森は因果という物理的なアイテム以外のもので、脳に損傷を受けた時に知覚が変わることを説明している。これは他に類を見ないような立場だと思います。

森岡　赤いセロファンで世界の立ち現われ方が変わるというのを、過去透視にあてはめるのも面白いですね。過去を見透すと、過去はどう見えるか、どう立ち現われるかという場面において「赤いセロファン」とはいったい何なのかという疑問も生じます。

山口　「思い的な遮蔽」と言えるものがあるかもしれません。例えば過去にバイアスをかけるような何かがあるかもしれない。そういうものによって我々は過去をゆがめてしまったり、時に違った仕方で捉えてしまったりしている（ただしこうしたゆがみも根本的には真正な立ち現われなのですが——というのも大森において本質的に虚偽な立ち現われは存在しないので）。

森岡　知覚における見透し線の概念を過去に向けた時に、大森荘蔵が予想していなかった問題が現われる可能性もあります。大森的な立ち現われ論によると、知覚の場合は立ち現われたものの真偽が問えない――目の前に現われたものは、それはそれで真だということになります。もちろんそれが公共的に正しいと見なされるかどうかは別の問題ですが。もしこの見方が過去にもあてはめられるなら、我々の歴史認識の問題が問えなくなるような哲学になるかもしれません。大森哲学で歴史はどう捉えられるのかという点は多くの人が疑問に感じるところでしょう。このあたりは功罪両面というか、立ち現われ的に過去を透し見ると、明らかに取りこぼされてしまうものがあるように思います。

ロボットの意識とことだま論

森岡　次にロボットと意識の問題ですが、これもいま一度読み直されるべきでしょう。ロボットをどこまで人間らしくしていくと意識が生まれるのか（あるいは生まれないのか）は現在も盛んに議論されているテーマです。これに対して大森さんは、ロボットも将来は意識をもちうるだろうと答えています。将来ロボットが人間らしくなり、我々人間とロボットの付き合い方が変わって、我々がロボットに意識があると本気で思い始めたときに、ロボットに本当に意識が宿るという路線で考えています。

大森さんは『流れとよどみ』(『大森荘蔵著作集』第五巻、岩波書店、一九九九年)で、正気の人間は生活の中で互いに心を吹き込みあっているという表現をしています。これは人間に限ったことではなく、ロボットとの関わり合いにおいても言えるわけで、お互いに心を吹き込むようなことが定着していけば、ロボットが心をもつようになるのは当然であるというのが大森さんの考えです。『流れとよどみ』では、この考え方は「アニミズム」と呼ばれています。現在ロボット工学が学際的に議論されており、中でもとくに日本では関係性によってロボットが心を持ち得るのではないかという議論が長らくされていますが、大森さんもそういう考え方を非常に早い時期で見出した一人だと思います。また『物と心』では、知覚的立ち現われと思い的立ち現われのうち、優位になるのは知覚的立ち現われの方であると述べています。その中でも食べることと触ることが人間にとって最も優位で、それは我々の生命活動に直結しているからです。だから最終的な正しさがどこに担保されているのかというと、「「正しさ」とはわたしの命を賭け、生活を賭けることだ」（ちくま学芸文庫、二〇一五年、二一六頁）というわけです。大森の哲学が一種の「生命の哲学」であることがわかります。

生命論的に考えれば、大森も言っているように食べることと触ることはどちらも「生きる」ことに関わります。命をもった個体が生きるのに必要なのが「食べる」ことで、種として生きるのに必要なのが「セックス」です。セックスには身体に触ることが必要です。このような考え方をロボットの意識の問題に戻してみると――大森は言っていませんが――我々人間社会にロボットが心をもった一員として組み込まれるために必要なのは、一つは、実際かあるいは象徴的な意味で人間がロボットを食べる、あるいは人間がロボットによって食べられるということ、もう一つは人間がロボットと恋愛をしてセックスをして妊娠することができるということ、この二つが起きることだと私は思います。この二つが可能になった暁に、ロボットは十全な意味で心を持ち生命を持ったと我々は考えるだろうし、考えざるをえない。人型ロボット開発につねにセックスロボットの影がまとわりつくのも、これが理由でしょう。

どういう形になるかわかりませんが、ロボットを使用した後にロボットを食べる。あるいは自分が死ぬときに長年連れ添ったロボットに食べて分解してもらうといったことがあるかもしれません。生殖活動にしても、ロボットがロボットと生殖活動するのではなくて、ロボットと人間の間で生殖活動的なことが行われる。ここまで行くと本当にロボットが心をもっていると我々も認めざるをえない。

山口　意識をもっていると思わないとそこまで深い付き合いはできないということですね。

森岡　そうですし、逆も言えると思います。そういう深い付き合いをしてしまった、させられてしまったから相手が心をもっていないとは思えない。そのようなロボットと人間の関係がもし生まれてくるとすれば、逆にその時点から現在を振り返った時に、「昔はなぜロボットに意識があるかないかといったプリミティブな議論をしていたのだろうね」というような時代が来ないとは限りません。このあたりは大森の議論の延長線上に出てくる話だと思います。

山口　ロボット意識の問題は袋小路に陥りやすいのですが、大森のさばき方は鮮やかです。第一に、ロボットの視点に立つことができないので、ロボットの心の内面を観察するというのは心のあり方からして不可能です。そこで大森は、そもそも我々は他者に意識があるということをどう理解しているのか、「あの人に意識がある」などの言葉は何を意味しているのかといったあたりから考え始めます。

実際我々は他者に意識があると考えるとき、意識に直接触れて意識があると考えているわけではありません。先ほど森岡さんがおっしゃったように、我々が他者に意識があると思うのは全体的なことです。我々が行動を共にして、自分と他者の身体動作が似ていたり呼応していたりといったコミュニケーションの中で、他者に意識があると認定する。だから大森が「他者に意識がある」という言明の意味の理解を深めた結果、ロボットに対しても人間が他者に意識がある／ないというときと同じ基準をあてはめることができる。以上のように大森は、意識の議論から内面の観察といったものを締め出し、袋小路を抜け出すような議論を展開しています。

大森の議論はたしかにそうだなと思わせるところがあります。例えば将棋で棋士に勝つＡＩは実際すでに存在していますが、我々はそのＡＩに意識があると思わない。そのＡＩはご飯も食べないし、生殖活動もしないし、我々と身体の振る舞いが異なるからです。しかしロボットに関してその他いろいろな条件が成り立ってくるとまた関わり方が変わって言語のやり取りが変化していく。そうすると当然「ロボットに意識がある」と言われるというのはありえる話でしょう。

森岡　大森はロボットの意識や立ち現われの議論をしているときに、独自の身体論があります。我々は世界を目で認識しているのではなく身体ごと認識しているのであり、我々の身体のあり方に応じて世界が異なって現われている。この見方は、現象学から出てきて現在ロボット工学と合体することで盛り上がりを見せていますが、大森にも全く同じ問題意識を見出すことができると思います。その意味でも身体論は広い意味では生命論でもありますから、大森の哲学はいままで知覚の哲学や科学哲学だと我々は理解してきたと思うけれども、生命の哲学としてもう一度理解し直すという道筋もあります。

山口　生命というのはすごく重要なところに出てきますよね。どういう文脈で大森が生命を出してくるかは既に森岡さんが言及されましたが、僕のほうでも僕なりに説明させてください。

大森の意味ではすべては立ち現われです。例えば「蛇に見えたけどじっさいは縄だった」ということがあったとき、蛇の見えは間違いで縄の見えが正しいと我々は言いがちですが、まずいったん蛇がそれとして立ち現われたのでなければこの状況は説明できない。蛇が立ち現われて、そして縄が立ち現われる。この時、我々は近づいてみたり触ってみたりいろいろな知覚を総動員して縄か蛇かを見分ける。そして、けっきょく蛇が「幻」とされ縄が「現実」とされるとしても、それはそう分類することが自分の生きていくことにとって有用だからです。このように、何が幻で何が現実かを見分けるときには、生命が問題になっています。真偽の判断に最終的に賭けられるのは命なのです。

もう一つ関連する例として帰納法の正当化という伝統的な問題があります。帰納法というのは、一羽目のカラスは黒い、二羽目のカラスは黒いと枚挙していき、一定数になったら「全てのカラスは黒い」と一般化します。このように有限数から一般化の推論をするのが帰納法ですが、なぜこれを行なってよいのか。帰納法の前提として自然にパターンがあることを認める斉一性の原理があります。自然に一定のパターンがないと帰納法は使えない。しかし斉一性の原理の正しさを証明しようとすると、これまで自然に一定のパターンがあったからこれからもあるだろうと帰納法を使わざるをえない。こうした循環が生じてしまいます。そこで大森は、帰納法は正当化可能なものではなく、むしろ我々は帰納法に命を賭けて生きているのだと考えます。すなわち、これまでとは違うようになる可能性はあるけれども、そうならないほうに賭けて生きている。例えば床が落ちるかもしれないけれど、我々は床が落ちない方に命を賭けて生きるということ。大森の「命」を森岡さんは生命論の文脈で読みますが、僕はそこに一種の実存主義を見出します。すなわち、つねに無根拠な場での命がけの決断がある、ということです。

森岡　いまの話題に関連して、大森のことだま論についても話したいと思います。これも将来性がある概念だと思っていて、実際に私はことだま論的なものをペルソナ論——最近英語でいう時には「アニメイテド・ペルソナ」（命あるペルソナ）——として自分なりに展開しようとしています。大森は次のような例で説明します。誰かが昔の京都の賀茂川について「あの時の賀茂川はこうだった」と私に語ってくれたその時に、過ぎ去った昔の賀茂川がその言葉と共にじかにいま立ち現われてくる。それを媒介するのは言葉であり語りである。その言葉の中に魂が宿っているというのが大森のことだま論の面白さです。

このことだま論を拡張する例として私がよく話すのは、東日本大震災の時に多くの方が津波にのまれて亡くなったり行方不明になったりしたことにまつわるエピソードです。テレビのドキュメンタリーで、震災で行方不明になった方の家族がこういうことを言っていました——家族は津波で行方不明なんだけれども、早朝に海岸に行くとそこに波が打ち寄せてきて風が吹いてきて、その時に行方不明になった妻が、ここにいる、と。これは物理学主義で見れば単なる幻想や錯覚ということになります。しかし大森的に見ると、それは行方不明のあなたの妻がいまここにじかに現われているという説明になると思います。何も見えないけれど波の音や風が吹いてくる感じがある種のことだまとなって、亡くなった人がいまここにじかに立ち現われている。これを単なる誤謬や錯覚ではない形でもう一度位置付けることができるのが大森哲学の立ち現われ論、そしてそれを人間に適用したことだま論だと私は思っています。

そのように考えると死者がいまここにじかに立ち現われていると言えます。その時に立ち現われているものを私はペルソナと呼びます。その本体は「音波のない声」という言い方もできます。音波としては聞こえないけれども、その人の声が聞こえるようなあり方でもって我々は亡くなった人にいまここでじかに出会うことができる。そういった感性を実は多くの人がもっていることを見直すべきだと思っています。これは亡くなった人だけでなくて生きている人にも同じことが言えます。私はいまZoomでスクリーンに現われた山口さんを見ていますが、やはり単なる像ではなく山口さんのペルソナがいまここにじかに現われている。我々はこういった他人とのエンカウンターの仕方を日々しているわけです。このように考えていくと、大森のことだま論はいわゆる他我問題に新たに光を与えると思います。

ことだま論は、先ほどのロボットの問題にも同じように当てはまります。ロボットが関係性の中に織り込まれていけば、まさにロボットは我々人間との関係性によって命を付与されたペルソナ（アニメイテド・ペルソナ）として私の前にじかに現われてくる。その現われたものの裏側に他我を想定する必要はありません。我々が誰かとお茶を飲んで喋っている時に、目の前で笑っているその人の裏側にもう一つの魂があるかどうかなんて一切判断していないのですから。じかに現われたものと我々は会話しているのであり、その現われたものこそが本質なのであって、その裏側に何かあるというほうが大森的に言うとむしろ虚像です。私はことだま論をこのように展開することができると思っていて、この点で私は自覚的に大森を引き継いでいるつもりでいます。

山口　森岡さんがいま言及された話題にも大森哲学の面白いところが現われています。つまり、対象との出会い方ですね。大森は「心の内外」の区別を排除し、心の中にある（と通常考えられている）ものを世界に立ち現われるものとして世界の側に返還します。ここでこの立ち現われ一元論を取ると、対象との直接的な出会いも取り戻される。これはどういうことかというと、表象と実在のモデルととると、我々が出会うのは表象です。例えば僕が誰かのことを思う時に、この思いに現われているのは表象であって本物ではないことになる。しかし大森の場合にはまさに物が立ち現われます。森岡さんが先ほど言及したように、死者を思い出すときにはその人が立ち現われていて、ここにいるという仕方でその人と出会える。大森の見方に従うと、こうした「死者との直接的出会い」が可能な世界観をとることができます。

ちなみに、心の中のものを一切世界に返すとなれば、世界自体が有情になります。世界自体が「感情」をもつ。例えば私がある人の演技を見てイライラすると言う時は、演技という外的対象とは別に私の内部にイライラの情があるわけではなく、世界にイライラさせる演技が立ち現われているということになる。この点は人の演技だけではなく、風景などについても成り立ちます。

森岡　大森の立ち現われ一元論では、表面的なものが再評価されます。日本語では表面的という言葉はマイナスイメージがありますが、大森の立ち現われ一元論的な方向で考えると、実は表面性こそが最も真実なのです。そうとしか言いようがない次元があるのは明らかです。私の目の前に現われているのは表面的なことですが、その表面性が実は最も重要で、目の前の人の本心や裏側を考えることが逆に構成物になっていく。この逆転を私はすごく面白いと思っています。これは近代的な人間観とは逆です。近代的な人間観では脳の深いところにある人格が真実であって、それを表面に出す時にじかに出さなかったりごまかしたりすると考えます。しかし立ち現われ的に考えると、表面的に現われるものこそが真であって、我々はそれを手掛かりにして裏側に何があるだろうといろいろ構成しながら社会活動をしていくという順序になります。

山口　大森荘蔵自身、自分が哲学で使う出発点になるものに関してきわめて自覚的ですね。立ち現われというまさに現れるものから出発する。ちょっと混ぜ返すような感じになるのですが、大森の場合はこの出発点を取るが故に他我がきわめて難しい問題として最後まで残った。というのも他我は行動や表面的なものに還元されないようなものだからです。そして大森は見えない裏側を使えないわけで、この問題に苦心することになる。森岡さんからすると、他我というのは現われるもの、あるいは表面で捉えられるようなものでしょうか。

森岡　まず大森の考え方からすると、自我は実体としては見つけられない。大森にとって自我というのは、世界の外側に立って世界を見ている小人ではない。だから他我もその他人の見え姿の後ろにたたずんでいる小人ではないし、実体でもないということにならざるをえない。でも他我は他人の身体の場所にあるでしょう、私が喋っている相手の魂のようなものはそこにあるでしょうと言われると、大森はちょっと歯切れが悪い。大森はその人がじかに立ち現われているというところまで言うんだけれども、ではそれは具体的に何か、目の前の他人の顔の表情や言葉以外に何なのかと問われると、そこはまだうまく答えられていないような気がします。ですから立ち現われ一元論において他我をどう考えるべきかは、むしろ我々が大森を超えていく時の一つの課題だと思います。フッサールとは異なった方向に行かないといけないでしょうね。私もいますぐにこうだとは言えないので頑張って考えていますけれども、将来の非常に面白い課題になると思います。

自由意志と重ね描き

森岡　自由意志論は山口さんがずっと考えてこられたテーマですが、大森の自由意志論はちょっと独特な感じですよね。そのあたりはどうですか。

山口　大森の自由意志論はいくつかのパートに分かれますが、第一に予言破りの自由の議論が大変面白いしましたアピールするところがあると思います。例えば過去を振り返って、「あの時手を上げたけど手を上げないこともできた」と言う時に、果たして自分が何を言っているのか、何をもってこの言明が正しいと言えるのかはあまりはっきりしない。それに対して予言破りの自由というのは、言語実践に内在する自由であり、その意味で実質をもつ自由です。例えば予言機でも予言者でもいいですが、「あなたは一〇秒後に手を上げる」という予言を聞いた時に、我々は手を上げずに済ませられます。予言とは違うリアクションができるという意味で、予言破りの自由というのはどんな予言を提示されたときにも行使可能です。言語実践の内部で我々がこの意味で自由であることはつねに確証されうるし、前提されているとさえ言えるでしょう。いろいろな決定論や形而上学の概念を出してくると自由意志の議論は紛糾してきますが、言語の現場において我々に内実をもった自由があることを指摘しているのは非常に面白いところだと思います。

この議論に加えて『新視覚新論』には「重ね描き」の概念に依拠して自由意志を論じる箇所があります。

「重ね描き」の概念は科学的世界観と日常的世界観の乖離の問題を解消するために提示されました。例えばリンゴは日常的な知覚的な捉え方だと色や匂いがある。他方で科学的な観点ではリンゴは原子の塊であって、原子の組み合わせそれ自体に色や匂いを想定するのはナンセンスです。そうなると、色や匂いをもったリンゴと原子の塊であるところのリンゴという二つのリンゴがあることになる。我々はそれをどう調停するかというと、例えば「知覚される表象が前者で、実在は後者だ」とすることがあります。しかしこうした表象－実在という関係を採用すると、実在のリンゴを我々は知覚的に捉えられないなどのいろいろな不都合が生じます。

大森は表象－実在関係はもう破綻していると思っているので、この解決策はあまり採りたくない。ではどうするかというと、色や匂いがあるリンゴの立ち現われは、「知覚的立ち現われ」で、同時に科学理論的に見てリンゴは原子の塊だという事態は、「思い的立ち現われ」だとします。そして、リンゴの立ち現われの様態として知覚的立ち現われと思い的立ち現われがあって、それらが一つのリンゴに重ね描きされていると考えます。より正確に言うと、リンゴというのは知覚的なものと思い的なものの重ね描きだというわけです。これは面白い理論ですが、他方で知覚に関してこの方向でここまで頑張る理由が……結果として得られる描像が「常識的な」それと離れすぎていてピンとこないところもあります。このあたりの感じ方は、冒頭で述べたように、大森と僕の哲学的な関心のちがいに由来するでしょう。

大森は重ね描きの概念で自由意志の問題も解こうとします。つまり、人間の動作というのは、自由な行為として描くこともできれば物理的運動としても描くことができ、この重ね描きだというわけです。こう考えると、科学的世界観は自由な行為を排除する、と述べる必要はありません。大森のこの考えはけっして完全に受け入れられないものではありません。むしろ我々の自由意志をめぐる状況をうまく記述していると言えます。僕は例えば森岡さんの動きを普通は自由な行動と見ているのですが、一歩引くと「森岡さんも水素やら酸素やらの物質からできている」と見なすことになり、そこには物理的な法則に従う単なる出来事が身体的な動きとして現われていると考えることになります。我々は現にこのように両方捉えられるから、「自由な行為と物理的な出来事の重ね描き」なるものは実際あると思います。

他方でこれは解決ではなく問題の出発点でしかないとも思います。というのも、そもそもなぜこんな重ね描きが可能なのか僕にはまったくわからない。実際、行動が自由だったら単なる出来事ではないし、物的運動に過ぎないのであったらそれはもう論理可能性として自由な行動ではないということになります。大森の自由意志問題のさばき方というのは鮮やかなところもあるのですが、いかにしてこの重ね描きが可能なのか、なぜこんな重ね描きが起こっているのか、そのあたりをさらに深めてほしかったと思います。

森岡　私も改めて考えてみると、物質世界と自由の世界を重ねて描いているのはいったい誰なのかという点がよくわかりません。私は常に、物質的な視線と自由の視線の両方で世界を見ながら行為しているという話なのか。あるいは、ある人間の行為があった時に、それを外部からメタ的に見ている人が、対象となっている人間の行為や出来事を重ね描きという構図で解釈するという話なのか。これはどちらなのでしょう。

山口　大森自身がどちらなのかはわかりませんが、理論として魅力があるのは前者です。森岡さんが言及された誰が重ね描いているのかというのは面白い問いです。言い方は難しいですがある種の哲学というのは、単なる客観的な理論を作るものというより、哲学者自身が生きることのできる世界観を築こうとします。じっさい当人が自分を棚上げにして「こういう理論を作りました」だと何かが欠けているところがあって、いわば「強い哲学者」は自分の哲学を生きている。大森荘蔵も自分の哲学を生きていたはずなんです。そこで立ち現われ一元論を生きるとはどういうことかを考えてみると、立ち現われ一元論というのは世界観です。そして、世界観は何らかの思いであるのだから、世界を立ち現われ一元論の思いをもちながら生きるということになります。先ほどの話が関係しますが、立ち現われ一元論においては真偽の区別が絶対的なものでなく帰納法なども正当化されず根本的には「命がけ」が生の実相になります。ですから立ち現われ一元論の思いを持ちながら生きるということは、自らが賭けを生きていることを自覚しながら生きることになると思います。それゆえ、もし大森が立ち現われ一元論を自分で生きていたとしたら（じっさいに生きていたでしょうが）、一切が立ち現われでありその背後がなく、そこで命を賭けねばならないという、そういう状況を見据えた上で生きるというあり方になるのではないかと思います。

森岡　生きられる現場としての重ね描き、生きる私の賭けとしての重ね描きというのはすごく面白いテーマだと思います。いまのお話を聞いて思ったのは、例えば自分の家族の手術をしなければいけなくなった外科医のケースが面白いかもしれません。外科医が手術をするときに、そこに生身の人間がいると思うと手術できないので、単なる物質だと思って手術するというような話はよく聞かれます。つまり外科医が手術中に患部を切っている時には、まさに物理的因果の世界が立ち現われている。しかし手術が終わったらまた家族の存在が見えてくる。まさに他者がそこに立ち現われているわけです。このケースでは外科医はまったく重ね描きをしていません。二つの面が存在しているにもかかわらず、片方ずつしか現われていないように思われます。

山口　これは共感する見方です。重ね描きというよりも交互で出てきていて、両方を同時に見るのは難しい。自由な行為と見ることと単なる物理運動と見ることを同時に行えないのは、やはり相反するからであって、現実問題としてはそれぞれが交互に出てきているように見えます。

森岡　大森の重ね描きの議論は、二枚のシーツがぴったり重なっているようなイメージで読めますよね。例えば知覚の話はそうです。星から目まで入ってくる物的な線と実際の赤い色の見えが、同じ線上にプロットできるようなイメージです。しかし、いまの外科手術の例の場合で考えると、我々に立ち現われてくるものは、二つの世界が交互に現われるという現われ方をするしかない。大森が言うように二つの世界がぴったりくっついているというのは、やはりメタ的に見た時の話なのであって、自分が生きている、まさにいま命を賭けて生きている世界では実は何も重ねられていないのではないか。我々は振り子のように揺れているだけであって、何も重なっていないのではないかという疑問も浮かんできます。

山口　自分の体験が本当に重ね描かれていないのかどうかを確言するのは難しく今後も

考え続けたいですが、大森の重ね描きというのは、どうもまだゴールではない。メタ的に状況に概括的な見通しを付けている段階かもしれないけれど、まだその段階で解くべき問題が残っていると感じます。

日本で／日本語で哲学をすること

森岡　大森哲学をいわゆる日本哲学、あるいは世界哲学の中にこれからどう位置付けておくのかという話もしておきたいと思います。最近、東京学派という言い方が聞かれるようになりました。戦前から戦後しばらくまでは京都学派があり、それと対比させるような形で東京学派という系譜を見ることができるのではないかという話です。その時に廣松渉、大森荘蔵、坂部恵、井上忠の四人が駒場カルテットと称され、よく名前が挙がります。私も二〇一九年にハワイ大学で「大森と廣松以降の東京学派」という発表をしました（Tokyo School After Ōmori and Hiromatsu, International Association for Japanese Philosophy 2019 Conference : Kyoto School, Tokyo School, and Beyond, October 12）。大森哲学からちょっと離れた場所で独創的な哲学をしている大森後の人ということで、永井均さんと入不二基義さんと森岡を、自分の考えたいことを考えたいように考えるという大森的なところを引き継いだ、大森以降の東京学派の哲学者として見れるのではないかという話をしました。

その後で山口さんの『日本哲学の最前線』（講談社現代新書、二〇二一年）を拝読して思ったのは、大森を位置付けるのだとしたら東京学派よりもJ哲学の方がいいのではないかということです。山口さんがおっしゃるように、J哲学を考えるにあたってまず一つの参照項としては京都学派があると思います。そしてその後、二〇世紀の半ばから終わりにかけて京都学派とはずいぶんニュアンスの違う哲学が東京大学を中心に緩やかに形成されていった。そして二一世紀になってその形もまた崩れていって、日本語で独創的な哲学を志している哲学者たちが日本にも継続的に現われている。このような見方がJ哲学だと思います。

山口　東京学派というくくりは意味をもつとは思います。戦後に東京へ人が集まって哲学的な知の最も盛んな場所になるのというのは注目すべき流れです。京都は戦争との関わりでなかなか戦後すぐに自由な哲学をしようと歩みだせなかったのに対して、東京はそういう制約がなく、自由な活動ができたのでしょう。そして駒場カルテットという共時的なところで東京の哲学の在り方を語るというのはたいへん意味があると思うのですが、僕自身が日本の哲学史を考える時、例えばこの四人に端を発した日本哲学の流れを一気に辿ることができるかと言えば、なかなか難しい。言及する哲学者たちすべてに通底する「共通関心」を掴み出す自信がないからです。そこで日本哲学をまず部分的に始めるとすると、僕の場合はおそらく大森荘蔵が出発点になるでしょう。大森荘蔵がもっていた関心というのはどちらかというと形而上学的と括れます。この日本形而上学の系譜には、永井均さん、野矢茂樹さんも入るでしょうし、また入不二基義さんも入るでしょう。この日本の形而上学の流れが面白いのは、西洋の形而上学の記述のあり方と結構対比できるような仕方になっているところです。というのも、西洋で（正確には英語圏で）二〇世紀の後半から二一世紀の初頭あたりにメインストリームの形而上学は、いわば物理主義的形而上学であって、物理存在を組み合わせていろいろなものを説明しようする。先ほど挙げた大森荘蔵からの流れ——永井、野矢、入不二、あと大庭健も入れてもよいのですが、おそらくこの中で最も物理主義らしい大庭健ですら、物理主義者が普段使わないような「システム」概念を持ち込んで物事を説明しようとしています。大森以降の日本の形而上学の在り方としては、ジャパニーズアンチフィジカルリズムともいえる何かそういった一つの流れがあるのではないかと思います。

ついでに注意すれば、歴史化するというのはある種の相対化であって、いまのような見方は大森を一つの枠に収めてしまうことになります。しかし哲学者は常に枠に収まらないというか、歴史の一つの文脈に置かれてもそこからはみ出すようなところがある。大森をいったん枠に入れるとしたらいま言ったようなアンチフィジカリズムの形而上学を提案できると思いますが、一旦歴史化してもそこからはみ出すような大森の面は再度見出されるでしょう。そこを見ていくことが重要だと思います。

森岡　もしJ哲学の形而上学の部門をアンチフィジカリズムとまとめるとしたら、やはりそれに力を与えた大森さんの存在は大きいでしょう。大森さんは物理学出身でありながらそういう物理学帝国主義に敢然と立ち向かった人ですから。大森さんがそうやって頑張ってくれたから、我々下の世代は、哲学全体が物理主義あるいは広い意味での自然科学主義にどんどん移っていく中で、大森さんがご健在の時期まではずっと守られていたという印象があります。

山口　そして我々世代にとってはまた新しい意味もあります。ゼロ年代から心の哲学のメインストリームはやっぱり物理主義的な捉え方なんですが、その議論が煮詰まってきたとして、ではどこにオルタナティブがあるかというと、実は大森荘蔵に既にあったということになる。我々にとっても数世代前だけど新鮮に感じられます。

大森哲学はこれから世界にどんどん広がっていくと思いますし、いずれ大森ルネッサンスが来るのではないでしょうか。

森岡　最後にJ哲学というものをどう捉えるかということを考えると、やはり日本語で考えられ書かれているという点は大きいです。私もJ哲学とは何かを説明する時には、「日本語で行なわれた世界に類例のない哲学」とするのがわかりやすいのではないかと思っています。日本語で書かれることに積極的な意味があるとすれば、それは他の言語で考えられ書かれたときに抜け落ちてしまいがちなものを日本語がうまくすくい上げられることがあるという点でしょうね。私は日本語で思索しているので、これはとても大事なことです。もし大森さんが英語のネイティブだったとしたら、重ね描きや立ち現われといった概念が発想できたかどうかはわかりません。

日本語というものについて山口さんはどう思いますか。

山口　僕は、さしあたり日本語は大事だ、と考えていますが、それは歴史的観点からの主張です。僕は「J哲学」を歴史的な用語として理解していて、「J」に超歴史的な意味づけをすることは避けたいと考えています。じっさい日本で哲学をする人はみんな「よし、日本的な哲学しよう」とか言って「日本」を意識しながらするわけではなくて、ただ哲学をします。とはいえ、ただ哲学をしようとしたとしても、人間がやることだから個別性からは逃れられない。こうした個別的な営みの連なりが事後的に「日本的」と括られるのだと思います。

歴史を振り返って日本哲学をどこに見出すかは、いまのうちの伝統においては、日本語を使って日本的なるものを更新するということで捉えられると思います。さしあたりの歴史的条件としては日本哲学を更新していく時に日本語を使うというのは、過去の連続性から考えても避けがたい制約だと思っています。とはいえこの先いろいろな言語交流があって状況は変わるかもしれないので未来永劫日本語にこだわるかはわかりません。ひょっとしたら先々に我々の言語の捉え方それ自体も変わるかもしれない。その一方で「日本哲学」とわざわざ言うからには、日本哲学のうちに何かしらの日本へのこだわりがあることは必定である。この場合、常に更新される可能性を日本哲学に残しておくのは大事だと思います。だから日本哲学のどの部分が本質的かというのはけっしてアプリオリに言えませんが、現状として日本語を使うというのは避けがたい。ここから始める以外にないということになるでしょう。

森岡　私も賛成です。ただ現実的な世界にもう一度目を戻してみると、私はいま複数の論文を同時に書いていますが、その半数は日本語で半数は英語です。アカデミズムの世界では――とくに山口さんの世代以下の方は――英語で書いて英語のジャーナルに発表しないと良い業績としてカウントされないということに、これからもっとなっていくでしょう。そうすると、さらに若い世代では「哲学とは英語で論文を書くことだ」という常識が生まれるかもしれません。そうなるといまの自然科学と全く同じ状況となり、哲学の研究とは英語で論文を書くことであり、日本語の雑誌に書くのはすべて社会還元としてのエッセイやコラムの扱いになる。そうなった時には、日本語で考えたり書いたりするのは時間の無駄だから、最初から英語で考えて書けばいいという考え方も出てくるでしょう。私はそれに危機感を持っています。

というのは自分の体験からしても——皆さんもそうだと思うけれど——日本語で考えて論文を書いた時と英語で考えて論文書いた時では内容が違ってきます。デリケートな問題を考える時には、論旨が微妙に変わるし強調点も当然変わるし、結論も多少変わるということはおそらく多くの方が経験していると思います。つまり哲学的に考えることへの言語的影響は予想以上に大きくて、だからその意味でも日本語を用いて考えるということの世界的意義は、やはり見失わないほうがいいと思っています。

だから山口さんもおっしゃっているように、日本語で哲学をするときに日本的になる必要はないし日本文化的になる必要もまったくないのだけれども、日本語で考えて書くということの独自性についてはそれをけっして手放してはならないと思います。だから日本語で考えて書く場は絶対に必要だし、そういう形で世界的に見てユニークなものを我々が切り開いていける可能性がたっぷりあるわけだから、我々はそれを見失ってはいけない。

山口　僕自身もたまに英語で論文を書いたり発表したりしていますが、日本語で書くことを今後一切やめろと言われたらそれはできない相談です。現状自分にとって日本語で書くことは非常に大きな意味をもっています。先々どうなるかというのは全くわからないし、命がけの決断というものでもありませんが、英語で哲学する／日本語で哲学するという選択肢がある中で、いまのところ我々は日本語にちょっと重要な意味を認めつつ哲学し続けていいのではないか。これまでそうしてきたし、そこに意味を見出している自分がいるのだから。

（二〇二〇年九月一四日）

解説　日本語で哲学をすることができるのか？

大森荘蔵は、戦後日本を代表する哲学者だ。私が大学生の頃は、日本の哲学界で絶大な影響力があった。とくに東京大学ではそれが顕著で、対談でも述べたように、当時の哲学専攻の学生は、大森派か廣松派のいずれかに属していたと言ってもいいかもしれない。しかし大森が一九九七年に亡くなり、二一世紀が到来した頃から、大森荘蔵の名前は日本の哲学の表舞台から消えていった。その理由はよくわからないけれども、おそらく、英語圏の分析哲学の翻訳や紹介が一気に進んで、大森の哲学を知らなくても分析哲学をすることができるようになったからだろう。

大森荘蔵は、ちょうど戦前の京都学派における西田幾多郎の位置を、戦後の哲学において占めていた。もちろん京都学派のような緊密な師弟関係があったとまでは言えないのだろうけれど、大森哲学はその直系の弟子たちの枠を大きく超えて、その後の哲学に大きな影響を与えた。そして、大森とはほとんど面識のなかった私もまた、広義の大森派だと言うことができる。二〇世紀の日本哲学において、大森はそのくらい大きな存在だったのである。

哲学史的に言うならば、大森は日本に英語圏の分析哲学を最初期に導入した偉人のひとりである。とくにウィトゲンシュタインについては、大森をとおして知った人が多かったのではないだろうか。しかしそれよりも大きかったのは、大森が堂々と「自分の哲学」を日本語で発表したことである。大森以外の哲学者は、カントやマルクスなどの先人の哲学について研究することを哲学だと言っていたのに対し、大森は、自分の哲学を日本語で作り上げていくことが哲学だと公言していた。素晴らしいのは、周りの哲学者たちも大森のそのスタンスを認めていたことである。これは東京大学駒場キャンパスの独自なところであると思われる。私は一九八〇年代に東京大学本郷キャンパスにいたのだが、自分の哲学をしたいと言うと、同級生から「そんなことを言ってたら破門されるぞ！」と忠告されたのだった。

だから当時の私にとって、大森荘蔵は、「哲学とは自分の哲学を展開することであってかまわない」という勇気を与えてくれた存在だったのである。そして大森は、対談でも触れたような、「見透し線」「ことだま論」「重ね描き」「立ち現われ」「アニミズム」などの独自の概念を打ち立てていった。もちろん大森がこれらの概念を提唱するにあたっては、ウィトゲンシュタインおよび現象学からの影響が圧倒的に大きい。しかしそれにもかかわらず、大森哲学にはそれらに還元できない独自性がきらめいており、真に独創的な哲学者だったと言える。ただし、それらの概念はどれもまだ萌芽的な段階にとどまっている。私たちには、大森哲学それ自体の研究をするというよりも、大森が残してくれた発想を自分たちの手によってもっと刺激的なものへと作り替えていく作業が残されている。

大森が「ことだま論」と「アニミズム」で主張していたことを、私は「アニメイテド・ペルソナ animated persona」の概念として引き継いで、さらに展開しようとしているので、それについて少しだけ述べておきたい。最近の研究によると、死んでしまった家族に出会う経験をした人がたくさんいることがわかっている。部屋にひとりでいるときに、ふと、亡くなった人が目の前にいるという強烈な感覚に襲われるとか、家族の残した遺品や位牌に亡くなった人を感じるなどの経験は、世界中で見られるものである。あるいは精巧に作られた人形や、自律的に動く配膳ロボットに、なにか人間の心のようなものが現われるのをありありと感じる人がいる。私はそれらを「アニメイテド・ペルソナ」という概念のもとに包括して捉えようとしている。

目の前に生きた人間がいるわけではないのに、それでもなお目の前に「誰かがいる」というふうに私がありありと感じてしまうとき、そこに立ち現われているものを私は「アニメイテド・ペルソナ」と呼びたいのである。

アニメイテドというのは、何かによって活性化させられたという意味である。たとえば、亡くなった人が遺品のうえに現われるのを私が感じるとき、その亡くなった人の現われは、その遺品の見え姿や、故人についての私の記憶や、そのときの私の心理的状態や、故人に対する私の揺れ動く感情などによって活性化されて、その遺品のうえに立ち現われる。ペルソナというのは、そもそもは仮面を意味するラテン語である。和辻哲郎は、能舞台で役者が能面をつけて演じるときに、その能面のうえに現われる人格的なものをペルソナと呼んだ。このペルソナは、役者の内面が外へとにじみ出たものではない。このペルソナは、能のストーリーと役者の演技によって、能面のうえへと呼び出されてきたものである。私は、それと同じことが、私たちの日常においてもひんぱんに起きていると考えた。

これは遺品や人形だけに起きる現象ではない。私が生身の他人と話をするときに、その相手の顔や身体のうえに立ち現われているものもまた、アニメイテド・ペルソナであると言うことができる。そして興味深いことに、生身の人間にアニメイテド・ペルソナが立ち現われているからといって、その人間の脳の中にアニメイテド・ペルソナを生み出した内的意識があるとはかぎらないのである。これは、よくできたロボットのうえにアニメイテド・ペルソナが立ち現われているからといって、そのロボットの頭の中に内的意識があるとはかぎらないのと同じである。

アニメイテド・ペルソナは、大森の言う「立ち現われ」の表面性をさらに拡張したものだと言うことができるだろう。この概念を導入することで、他人の内的意識はいったいどこに存在するのかという「他我問題」を避けて通ることができるようになると私は考える。すなわち、他人の身体の表面に現われたものが他人の本体であり、他人の身体や脳の内側にあるとされる「他人の心」は、アニメイテド・ペルソナをもとにして私が作り上げた虚像であるという説明が可能になる。だとすると、この考え方は、他人の心は存在しないとする独我論になると思われるかもしれない。しかしそれは、あまりにも問題を単純化しすぎている。我に関しては、それを他人の身体の内側に他我として確認することはできないのであるが、そのかわりに、私の経験する世界には、アニメイテド・ペルソナという「私ではない心たち」が、数限りなく立ち現われているのである。それらは生身の人間の表面にも、単なる物体の表面にも現われては消え、そしてまた現われる。私はそれらの心たちを自分の好きなようにコントロールすることはできない。アニメイテド・ペルソナによって満たされた世界は、まさに世界の隅々にまでいのちが宿るアニミズムの世界である。このようなセオリーを、私はいま作り上げているところである。一本目の論文は Animated Persona : The Ontological Status of a Deceased Person Who Continues to Appear in This World, *European Journal of Japanese Philosophy* 6（2021）: 115–131 として刊行された。二本目の論文も書き上げたので、いずれどこかの学術誌に発表されるだろう。

ところで、山口さんは『日本哲学の最前線』で「J哲学」というカテゴリーを提案している。このような名称が必要であることはよくわかる。世界的には「日本哲学 Japanese philosophy」という言葉はすでに存在しており、それはだいたい古代から戦後期までの日本に現われた哲学思想のことを指す。ただし実質的には、道元や親鸞などの鎌倉新仏教や、西田幾多郎や田辺元など戦前の京都学派の研究が多くを占めており、二一世紀の日本で行なわれている哲学の営みについては、まだほとんど研究対象になっていない。もし現在の日本の自生的な哲学に名前をつけようとすると、「日本哲学」以外の名称がほしくなる。そこで登場したのが「J哲学」である。

山口さんや私は実際にJ哲学を行なっている。だが、山口さんが言うように、私たちはことさら「日本的な」哲学を構築しようと思っているわけではない。いちばん大事なのは、日本語を用いて思索をしているという点である。哲学的思考は、言語によってきびしく束縛される。私のネイティブ言語は日本語であるから、私によって生み出される普遍的な思索は、かならず日本語からの強力な影響を受けている。それは、たとえ外国語に翻訳されたとしても、しぶとく残ってしまうのである。同様のことは外国の哲学においても起きている。ドイツ哲学はドイツ語によって束縛され、フランス哲学はフランス語によって束縛され、英語哲学は英語によって束縛されている。ヘーゲルやハイデガーらのドイツ哲学はいかにもドイツらしいし、デリダやドゥルーズらのフランス哲学はいかにもフランスらしい。これは文化の違い以上に、言語の束縛によるものが大きいと私は考えている。したがって、私たちが生み出している日本の哲学も、日本語の外側から見たら、いかにも日本っぽいだろう。大森荘蔵の哲学もおそらくそうであろうし、私のアニメイテド・ペルソナ論も、きっとそのように見られるだろう。

私はJ哲学を「日本語で行なわれた世界で類例のない哲学」と定義する。日本語で思索して哲学を行なっている人は、日本語を用いて行けるところまで行くことによって、将来の世界の哲学に貢献することができる。この意味でJ哲学は普遍志向である。日本独自の思想を求めて活動しているわけではない。おそらく山口さんも同じようなことを考えているはずだ。ハンナ・アーレントは、米国に渡ってからも、ドイツ語による思索を手放すことはなかった。ドイツ語は彼女の思考の奥深くにまで浸透しており、それを用いて哲学をするというやり方しかできなかったのだ。それは束縛でもあったが、同時に彼女の思索に真の深みを与えたはずである。哲学的思索におけるネイティブ言語の束縛の問題は、もっと研究されるべきテーマであろう。私は英語で論文を書くことが多くなったが、哲学的思索そのものは日本語でしか行なえない。仮に今後、私がほとんどの作品を英語で発表するようなときが来たとしても、私の作り出す哲学は日本語によるJ哲学であり続けるだろう。

日本語か英語かという問題について、本書第5章のエッセイ「私にとって哲学とは何をすることか」では、この対談とは少しニュアンスの異なったことを書いている。ここは私が揺れ動いている箇所であり、今後もきっと揺れ続けることだろう。

第4章

降り積もる言葉の先に

×永井玲衣

永井玲衣
ながい・れい

一九九一年生まれ。学校・企業・寺社・美術館・自治体などで哲学対話を幅広く行っている。哲学エッセイの連載なども手がける。独立メディア「Choose Life Project」や、坂本龍一・Gotch主催のムーブメント「D2021」などでも活動。著書に『水中の哲学者たち』（晶文社）がある。

ひそやかな声に耳を傾ける哲学者

森岡　今日は、アカデミアの中の哲学と、アカデミアの外の哲学についてお話ししたいと思います。『現代思想』（二〇二二年八月号、本書第五章）のエッセイにも書きましたが、私はずっとこの問いを抱えています。かつて大学院生のときには学会誌でたくさん論文を書こうと思っていましたが、あまりにも学会がつまらなかったので、三〇代で学会活動をほとんど辞めてしまいました。それからはオウム真理教や臓器移植といった社会問題に哲学的に取り組み、商業出版の世界で活動していきました。四〇代になると、自分自身の問題であったジェンダー的なテーマと、『無痛文明論』（トランスビュー、二〇〇三年）のような、文明全体がどこに向かっていくのかという大きなテーマに取り組みました。

そういった活動は私にとって充実していたし、自分の哲学を遂行できたと思いますが、五〇代に入った頃から何とも言えない不全感に襲われるようになりました。

例えばジェンダーや生命倫理の問題は、私自身が現場に引きずり込まれていかざるをえません。この私が当事者になってしまうわけです。だから私自身はどうだったのか、これからどう生きるのかということを中心に考えていたのですが、そうするうちにだんだんと問いの本質を高みから精密に考察することができなくなっていったのです。自分が常に問いそのものに巻き込まれていなくてはならないとすると、ちょうど顕微鏡で細胞を覗いてその細胞のふるまいを外部から観察するような、そういう冷静な哲学的な営みをすることができないと思うようになったわけです。そのとき、アカデミアはそもそもこういうことをするのに向いていたはずだと思い出し、再びアカデミアに復帰しました。そして生命の哲学についての過去の哲学者の思索を吟味したり、人生の意味についての分析哲学的な思索を行なったりして、いまに至ります。現在では、現場もアカデミアも私の中では両方大事で、片方だけでは自分自身に不燃焼感が残るようになりました。永井さんはどうでしょうか。

永井　私はそもそも考えることが大好きで好奇心いっぱいな子どもというわけではなく、哲学「させられてしまう」という形で哲学と出会いました。哲学せざるをえないという実存と関わった出会いです。他者と共にあるとはどういうことかという問いが私にはずっと大きな問いとしてありました。大学は哲学科に進学して、他者が怖くてサルトルの他者論を研究していたのですが、それでもなお異質な他者によって私が脅かされるという体験によって、初めて私が考えることができるといった経験も積み重ねていきました。とはいえ、大学での哲学は、わたしの問いではない問いに関わることへの不満感のようなものもあって。その中で、哲学対話や哲学プラクティス、臨床哲学に出会ったんです。ただそれも嬉々として始めたわけではなく、もともとは哲学カフェをしている先輩の代わりで軽い気持ちでカフェに行ったのがきっかけでした。そうしたら車座になって「自由とは何か」なんてことを考えていて、怖い！みたいな（笑）。だからこそアカデミーに対して抵抗するということもなく、強い自由意志で哲学カフェを始めたということもなく、どちらも怖く、どちらにも根ざせず、うろうろ戸惑っていたというのが正直なところです。

それから『水中の哲学者たち』（晶文社、二〇二一年）を書くにあたってアカデミーとの距離を考えたときに、私にとっては言葉の問題が一番大きかったです。『水中の哲学者たち』は、哲学を身近にしてくれる本だとおっしゃっていただくことが多いのですが、あまりそういうつもりで書いたわけではなく、まだふわふわしていますが私自身の哲学の営みの結果として書いたつもりです。哲学とは、世界をよく見ることであって、しかも世界のわけわからなさにどっぷりと身を浸しながらそれでも世界を探究しようとすることであると考えたとき、論文だと零れてしまうような言葉も拾い上げたいし、それを使わないと私が哲学することが可能にならないと感じました。だからこそあのようなエッセイというか変な文体で、よく意味がわからないようなことも書いています。私がアカデミーと距離があるのは、アカデミーの言葉だと私は哲学ができないというのが大きいのだと思います。

森岡　『水中の哲学者たち』に、それと関係するエピソードがありますね。哲学カフェに大学の偉い先生が来て、その人がひたすらアカデミーの言葉でしゃべり始めた。ラカン、ハイデガー、ウィトゲンシュタイン、地平、世界、様相……と。そこにもう一人アカデミーの人がいて、二人がいわゆる大文字の言葉でひたすらしゃべり倒した。そこに来ていた市民の人たちは積極的に話すチャンスがあまりなかった。その帰り道、参加していたおばあさんが永井さんに近づいてきて、ここに自分の好きな木があったのだけどその木が許可もなく切られてしまったという話をした。そしてこの話を永井さんに聞いてほしかったと言った。永井さんにとっては、先ほどの対話よりもこのおばあさんの語りのほうがずっと価値のある発言のように思えた、と書かれています。私はこの本を拝見して、このエピソードに一番感動しました。

私は二〇代の頃、環境問題の研究会と市民活動を一緒にしたようなグループに参加し、定期的に議論したり本を読んだりしていました。あるときその場所を貸してくれていた女性が、その場にいた男性たちに「こうして環境問題のこと話しているけれど、いまこの花瓶の花が枯れていることに誰も気がつきませんね」と言いました。これは当時の私にとってとても衝撃的な出来事でした。そのときはその発言を巡って議論が起きることもなく、ただその方がそっと言っただけなのですが、その発言があまりにも予想しない方角から来たので私は何も反応できませんでした。当時はその指摘の意味がよくわからず、でもそのことはずっと引っ掛かり続けていて、いまとなってはいろいろなことを感じます。先ほどの永井さんのエピソードとよく似ていると思います。おそらくそこには、大きな言葉によって見えなくなるものへのまなざしがあって、そういうものの尊さを忘れてはいけないという意味があったのでしょう。プロの哲学者のような人が大きな言葉でしゃべり倒していくとき、その陰で潰されていく言葉がきっとあります。あるいは大きな言葉に圧倒されているから自分の言葉が出てこないという状況がある。

永井　哲学のゼミに出席していると、なぜ私たちはこんなにも話し続けているのだろうと怖くなることがあります。もちろん先ほど森岡さんがおっしゃったような、きちんと分析するように物事を見ることがアカデミーの重要な役割だと思いますが、それがあまりにも超越的な立場から――サルトルは上空飛翔的態度と言いますが――上から飛翔してすべてを見渡せるかのように振舞えてしまえるという自由さ・可能性への広さに慄いてしまいます。哲学するとはどういうことだったのだろう、それはもっと聞き取られていないものに耳を傾けたり、もっと目の前のものを見たり、何かそういった仕方があるのではないかとずっと考えています。

最近私はいろいろな場所に入ることで、哲学する場や哲学そのものを探しています。誤解を恐れずに言えば、森岡さんは〈この私が哲学する〉いうところを書いていらっしゃると思います。私自身もそうですが、同時に〈無名の人たちの哲学〉がとても気になっています。無名の人――街を行くサラリーマンや子どもだったり、路上生活の方だったり、子育てをしているひとだったり――が紡ぐ哲学に関心があります。そういう人たちの言葉には、当然「世界の世界性」やウィトゲンシュタインといった言葉は一切出てきません。その言葉はすごくわかりづらい。ただ確実に何かが生まれています。

例えばある高校生は、「僕はまっすぐ死にたい」と言いました。「幸福とは何か」を探求した過程で出てきた言葉ですごく印象的ですが、構造としては実はきわめて単純です。上がり下がりをするとその分しんどいので、まっすぐそのまま死に向かいたいということを「僕はまっすぐ死にたい」と彼は言ったのです。それを哲学者が「それはこういうことだね」とか「古代ギリシャの人たちが考えたことだよ」と言ってしまうのではなく、ただ彼が頭の中でぐるぐるとした結果ぽろっと出てしまった言葉自体をまずは受け取ってみたい。おばあさんの「すきな木が切られてかなしかった」という小さなつぶやきを聞き取ること、そしてそれを哲学者という立場でできないかということも、私が哲学対話をするモチベーションとしてあるような気がしています。

森岡　私自身が歩んできた道は、明らかに大きな声の側です。私はここに根本的な限界を感じています。私は他の哲学研究者や学会を批判することもありますが、それは結局「大きい声」対「大きい声」の戦いです。巨大なゴジラみたいなものを批判し続けているうちに、こちらもだんだんゴジラみたいになってくる。そのうち頂上決戦になって、気がついたら東京がすべて潰されてしまいましたというときに、その足元で踏みつぶされていく声や、大きな声によってかき消される声というのがあって、それはすごく見えにくくなっています。自分のこととして思うのは、議論の緻密さやクリアさの強度を追求していくと、このような問題にかならずぶつかります。

私はこれまで、なるべく曖昧さを排除しようと頑張ってきました。哲学的な問いは根本的に曖昧ですから、言語を使ってできるだけ曖昧さを排除しようとするのですが、そればかりを追求していくと、哲学の言語は細く貧しくなっていきます。なんというか、クリアさの追求のためだけに言語を使うようになる。すると永井さんが『水中の哲学者たち』でこだわっていたような、曖昧なものをみんなで共有していくことへのまなざしが、切り捨てられていくのです。だから『水中の哲学者たち』を拝見して思ったことの一つは、永井さんがこだわっていこうとされていることとは、私には上手にはできないなあということです。河野哲也さんたちの哲学対話の会に出させてもらったりして、私も自分の大学のゼミで定期的に哲学対話をしていますから、その良さはよくわかるし、授業で哲学対話をしたときの学生たちの生き生きする感じはとても好きです。しかし市井の哲学対話に関しては、やっぱり私は根本のところで向いていないのかもしれないです。

哲学対話には二種類ぐらいありそうですね。一つはコーディネーターが参加者を自由に泳がせていて、なにか問題が起きたらコーディネーターも一緒におろおろしてしまうような哲学対話。もう一つはコーディネーターがすごくしっかりしていて、きれいにやりとりを誘導して参加者たちの声をちゃんと救い上げていくような哲学対話ですね。私がするとどうしても後者の上手なコーディネーターみたいな感じになってしまいます。これは結局、大きな声の人が仕切っている哲学対話なのではないかという気がしてならないのですよ。例えば講演会で一般の方が質問をしてくれたときに、彼らが聞きたいことをうまくすくいあげて答えるというのは、私はわりと得意なほうです。だから哲学対話でも人の声を聞くのは得意なのですが、でもそれだとやはり自分の手のひらの上に他者をすべて回収しているだけのような気がします。そのあたりについて永井さんは思われることがありますか。

永井　立場性やどうしても帯びてしまう権威性には、私もすごく悩んでいます。『水中の哲学者たち』を出してしまったり、哲学対話をしている人として取材を受けたりすることも増えてきているので、かつてはただの学生でよくわかりませんという感じで現場に入っていけたのですが、いまとなってはそうではありません。私自身も弱さという話をしながらも明らかに強い立場にあり、マイノリティ属性もあるけれどもマジョリティ属性のほうがもちろん多いです。本当に聞くということが何かもちゃんとわからないままにいろいろな現場に入っている。逆に言うと、森岡さんがそういったところを気にかけて、哲学対話をしてよいのだろうか、すべきなのかというところで引き裂かれるという話を聞けて、すごく心が震えます。やはり哲学の場を作るのはそれほど簡単なことではない、というのはずっと痛感するところです。

私もわりと介入するタイプの哲学対話をするのですが、どちらかと言うとそれはわかりやすくするというよりは、もっとわからなくしたり問いを育てたりするためです。みなさんの口からこぼれた問いをすくい上げた上で、みんなで吟味してより面白そうな、もっと探求できそうな方向に育てようとするファシリテーションをしている気がします。でも私もたまに調子に乗って、今日はこういう感じかとまとめて会を終えようとするときもあります。でもやはりそういうときに、先ほどの「花が枯れてることに気がつきませんね」というようなことを誰かがぽろっと言うんですよね。そこではっと思わず絶句してしまうという局面があります。だから先ほどの「哲学は話し過ぎている」——これは鷲田清一さんの言葉でもありますが——というところとも繋がりますが、自分がはっと絶句したときに「もっと絶句したい」と思ったんです。絶句できたということが自分にとってとても大きなことだったし、本当はもっと絶句しなくてはいけなくて、言葉が出ないとか詰まるとかうまくいかないとか、そういったことをもっと重ねたいというちょっとした倒錯の欲求がいま巻き起こっています。私自身も立場性の問題は悩ましいとは思いながらも、哲学対話をし続けるしかないのかな、と思っています。

世界のどこかにたゆたう言葉

森岡　哲学対話はきわめて短期間で日本に根付き、日本独自に発展したように思われます。日本でこれほど早く哲学対話が普及したのは、連歌の伝統があるからではないでしょうか。連歌は、何人かで集まって輪になって、隣の人の上の句に次の人が下の句を付けて順番に歌を作ります。連歌が盛んになったのは江戸時代で、いまでも連歌をしている人たちがたくさんいます。隣の人の上の句を次の人が下の句で受けるということの楽しさや、世界像が一瞬で転換する面白さといったものが連歌にはあって、その地盤の上に哲学対話がきれいに乗ったのではないかと考えています。

永井　たしかにそうですね。哲学対話に成功はあるのかというのは大きな問いですが、今日の哲学対話はつまらなかったということはあります。つまらない哲学対話というのは、それぞれが独白的になっている状態です。しかし「今日の哲学対話はうまくいったかどうかはわからないけれど、なんだか変で面白かった」というときは、「〇〇さんの話を聞いて思ったのですが」という言葉がたくさん出てくる。それはすごく連歌的です。相手の話を聞かないと連歌はできませんが、相手の歌の解釈が全然伝わっていなくて、変なところを受け取って変な歌を作っている人がいたりします。でもそのおかげで創造的になる。思っていることをただ出し合うより、あなたが語るから語らされる、問うから考えさせられるという受け身的な創造があるのが哲学対話であり、それは連歌と重なるところがあると思います。

私が詩や文学を好きだということもあると思いますが、彼ら彼女らと哲学をするときに語られる言葉は、哲学であるのですがやはり表現だと思います。「僕はまっすぐ死にたい」という彼の仕方での表現は、それだけで彼の言語体系ができている。とても柔らかいもので、一つの作品のようですらある。哲学対話では最初に「問い出し」といってみんなで問いを考えるのですが、ここが表現の出てくる部分なのです。最初は「いいリーダーとは何か」みたいな形式的な問いが出たりするのですが、じっくり待ってみるとものすごく変な言い回しのものが出てきたり、問いが長くなったりしていきます。私はそれをホワイトボードに書くとき、できるだけそのまま書くようにしています。「てか」「っていうような」「みたいな」といった繋ぎ言葉もすべて書き取っていくうちに、詩のような言葉が出てくることがあります。それに促されてまた次の人が表現してしまうものが連なっていくのが、詩を共同で作るときに似ています。相手が何か言ってくれるからこそ私が初めて生むことができるという、非常に協同的なものだと思います。

森岡　これからの哲学の可能性を考えるときに、そのあたりは大きなヒントになるのではないかと思います。いまおっしゃったように、「私はこう考えてこう表現しました」「それを聞いて私はこう思いました」という受け渡しが連歌的に続いていくような形の哲学の営みがあるような気がしていて、それがもっとたくさん出てきたら面白いのではないでしょうか。連歌には歌を詠むこと自体の楽しさと、それを実際の生へとフィードバックする面白さがあると思います。連歌の会を終えて自分の生活に帰った後、連歌で詠んだ光景が日々の生活で思い出されたり、生活がちょっと面白く見えたりすることがある。そしてまた次の連歌の会でみんなが再会する。つまり連歌とは、自然観や人生といった観念的なものと自分の生活を行ったり来たりする知的な協同活動のように思えて、哲学もそういった協同的な営みとして成熟していく可能性があればいいなと考えたりします。哲学するというと、大学に行って哲学を研究したり、論文をいっぱい書いたりするといったアカデミアの哲学が念頭に浮かんできます。たしかにそれは一つのあり方ですが、それとはまた違った形の哲学の営みが出てきてほしいと思う。哲学対話的なものからそれが立ち上がってくると嬉しいです。

永井　哲学対話を終えたときに、私はいつも目の前に映画のエンドロールが勝手に流れます。参加した人たちはすごく抽象的な哲学の議論をしたときでも、「このまえ庭で雑草を摘んでいて」とか「よそ見をしてたおじさんに自転車でひかれたんですけど」とか自分の日頃の生活の話をしたりするんですね。みんなの手のひらサイズの生活の何かから出てきながら哲学を編んでいくような言葉がたくさんあります。その人が生活の中で関わった人たちの名前を私は知りえませんが、そういったものも一斉にぶわっと目の前に蘇る感じがします。私自身も過去に話してきた人だったり、今日だったら森岡さんとお話ししたことだったり、読んできた本だったり、そういった関係者がたくさん出てくる。このメンバーで一連の何かを作ってしまった、そしてそれがまた続いていくというような感覚が対話後にあるということを重視したいといまお話を聞いて思いました。

森岡　おっしゃったように、一〇人ぐらいで哲学対話をしていたけれど、登場人物は一五〇人ぐらいいたというようなことが実際に起きているのでしょうね。そういえば、哲学対話を全部録音して文字化するということはあまりしませんね。

永井　そうですね。

森岡　この点はアカデミーの哲学とずいぶん違います。もちろんアカデミーの哲学でも研究会をぜんぶ文字化したりはしませんが、ディスカッションを通して濃縮された言葉が論文や著書になっていきます。つまり、思索を文字として紙に刻み込んでいく傾向がアカデミーの場合は強い。一方で、現状の哲学対話は、そこに人が集まってやりとりをして、それぞれの生きている場所にまた戻っていきます。これが繰り返されるわけですが、言語として作品化されるわけでもなく、論文のように知の蓄積の方向に向かうわけでもない。アカデミーの側からすると、「だから哲学対話はダメなんだ」という見方をする人は少なくないと思います。つまり、思索の成果が積み上げ型になっておらず、その場で砂のように消えていくというのは、なんだかんだ言ってもしょせん遊びであって、けっして学問ではないという考え方です。私はこの考えには反対で、むしろ消えていくものの良さもあると考えます。

この話は、「サイエンスや学問とは何か」という大きなところにまで広がりますね。先ほど言った積み上げ型の典型はサイエンスです。ニュートンが「巨人の肩に乗る」と表現したように、前の人が積み重ねた石の上に自分が新しい石を一つ積むのがサイエンスです。これは人間の生み出した素晴らしい知の営みだと思いますが、積み上げ型の知の世界にずっと住んでいると、積み上がらないものは無意味だとみなすようになりがちです。積み上げ型を評価する人は、「自分は哲学対話を否定してるわけではない」と言うでしょう。積み上がらない哲学対話のような営みは、それはそれで面白いし大事だけれど、しかしそれは学問とは呼べない、というのが彼らの言いたいことなのです。

永井　実践者によってはすべてビデオに撮ったり文字起こしをしたりして分析する人もいますが、私はそういうことにあまり興味がありません。ただ私はいろいろな人の話を聞いてまたそこで私が考えて、その結果私が書くという仕方で関わっているので、そこで起こったものが完全に砂絵のように消えてしまっていいとはきっと思っていないだろうと、お話を聞きながら気づかされたところがあります。私はそれを自分のやり方で保存したいという欲望があるからこそ書いている。でもそれは論文という形で知の蓄積として書いているのではなく、何か断片的なものとして保存しているのだろうと思います。それは知の蓄積ではないので学問ではありません。学問の蓄積としてはまったく興味がありませんし、むしろ抗いたいと思っているからあんな言葉で書くのだと思います。

しかし哲学対話で話したことや考えたことが集約してどこかに積み上がっていくわけではなくても、散り散りになった人々の中に積み上がっていくような感じはあります。例えば哲学対話で「独り言とは何か？」という問いについて話した前と後では、独り言との関係性の結び方がまるで変わってしまいます。みんなで哲学をしてしまうことによって世界が刷新され、世界と新たな関係を結び直してしまうので、今後ふいに独り言を言ったり、誰かの独り言を聞いたりしたときに、問いがよぎらざるをえないような状態になってしまう。そのときにまた本人の中で哲学が始まっていって、何かが積み重なっていくのか掘り下がっているのかもはやよくわかりませんが、そういったことが起こると愉快だと思います。

森岡 なるほど面白いですね。私としては、同じことを次のように表現するんじゃないかと思います。つまり、思索の成果が一人一人の人生の中に積もっていくこと、その結果として世界の見方が変わっていくこと、それこそが哲学のもうひとつの形なのだというふうに。人間の外にテキストとして蓄積していくのとはまた別の、日々を生きる人間の中に内在的に蓄積され、受け渡されていくような、そういう哲学の形があるのではないかということは言っていきたい。アカデミーからは見えにくいけれど、それはそれで古代からある正統的な哲学の形であり、現代においても大きな可能性がある。私はそういう道筋を見たいと思います。

ここまでの話で一つ疑問に思ったのは、永井さんが哲学対話をしてそれについてご自身で文章を書くとき、「そこに書かれなかったもの」はどうなるのでしょうか。もちろん書かれようが書かれまいが、そこで話され、みんなで哲学をしたことはそれぞれの人の生の現場にまた戻っていきます。ただ、永井さんは書くときに、そこで起きる様々な出来事の中から一つ二つをピックアップして書いていますよね。そこでセレクションが起きているわけですが、その選択の行為は何をしていることになるのかという問いが浮かびました。

永井

もともと私は哲学の動機としてもそうなのですが、世界をよく見ようとしたときに、とるに足らないもの、忘れられるもの、書かれないものたちが消えていくのがものすごく怖いという変な性質を持った子どもでした。なので子どもの頃からお店に行くと、店内をぐるっと見回して一番目に入らない、どうでも良さそうなものをメモしたり、コンビニの店員さんの名前やたまに乗るタクシーの運転手さんの名前を延々と携帯電話に打ち込んでたりしていました。一日の中でコンビニの店員さんの名前というのは、おそらく一番忘れてしまうような名前だと思うのですが、でも誰かであってその人を忘れるということがとてつもない恐怖でした。いまでも保存したい、聞き取りたい、書き取りたいというところがあるのですが、ただそれも私のチョイスであって、そこから無数に溢れ出る言葉や瞬間、断片があることにはゾッとさせられます。それにどう立ち向かっていいかわからないないながら、ずっと書いていると思います。でもそのときに私は何を書くものとして捉えているのか、その選択の大きさにおののきますし、崖を一人で歩いているような心細い気持ちです。だから森岡さんの問いは本当に重いものです。

森岡　これはとても難しい問題です。正面から受けとめすぎると何も書けなくなるし、突き詰めれば発話すらできなくなる。発話するということは、発話した瞬間に言葉を選んでいるわけですから。私がしゃべり始めた瞬間に捨てられていく言葉がたくさんある。「花瓶の花が枯れていることに気がつきませんでしたね」と言われてはっと気がついたとしても、別の場所にはまだ私が気づいてないもっと別の枯れた花があったかもしれない。そのもうひとつの枯れていた花は私の先ほどの気づきによって捨てられているわけです。しかしそのことをおおごととして考えすぎると、言葉を使うことや考えることそのものができなくなるような地点にまで行きつくでしょう。ここには、表現行為そのものが抱えてしまう深淵のようなものがあって、えもいわれぬ問いがここに横たわっています。

問いと共に生きる

森岡　『水中の哲学者たち』には、永井さんの考える「哲学とは何か」が書かれていま
す。「たとえ問いに打ちひしがれても、それでも問いと共に生きつづけることを、
わたしは哲学と呼びたい」（一一六―一一七頁）と。哲学とは問いと共に生きつづけ
ることだと永井さんがおっしゃるのには心底共感しますし、哲学的な知のあり方の
根本ではないかと私自身も思っています。哲学対話では、最初に問いをいくつか立
てて、どのテーマについて話すか決めますが、あれはすごく重要なプロセスです。
問いを立てないと、哲学対話は単なる雑談になってしまいます。問いを立てて、そ
の問いと共にずっと一緒に考えていく。そして哲学対話という場所が終わった後も、
立てられた問いと一緒に歩いて帰っていく。そのあたりがとても哲学らしいと私は
思います。ただこの考えは――先ほどもすでに議論したことですが――アカデミア
からは批判されやすいです。問いとずっと一緒にいてどうするんだ、必死で考えて

答えを与えないとダメじゃないか、と言われるでしょう。とくに学際的な場に行くと自然科学の分野の人から言われがちなことだと思います。

永井　そうですね、すでに結構怒られてはいます（笑）。哲学はいわゆる知識という側面とスキル的な側面が強調されがちだと思います。具体的には、知識でいえば哲学史や哲学用語、スキルでいえば論理的に考える力や概念を分析する力です。ただ私が上智大学の哲学科で教わったのは何よりも哲学の態度で、まさにこれこそが重要です。それは先生たちに教わったというよりは、先輩、後輩、同級生の風土の中で学んでいきました。上智大学には誰でも入っていい哲学研究室という場があって、そこでは電子レンジとソファーと大机があり、毎回知らない人がいて自由に話しかけてもらったり一緒に議論したりしていました。そういう場があるのはとても奇跡的なことで、そこで「こんなことを考えたんだけど」と言っても誰もバカにせずに聞いてくれて、「こうじゃないか」「このあいだの問いはどうなった？」といろいろな応答をしてくれる。これがたぶん私が一番嬉しかった哲学の姿で、何もバカにせず、問いがそこにあってお互いに聞いてくれるような場を探しています。

森岡さんの『生まれてこないほうが良かったのか？――生命の哲学へ！』（筑摩書

房、二〇二〇年）をとても面白く読ませていただきましたが、私も数ある問いの中で「生まれてきて良かったのか」という問いをなんとか解決したいというか、そこに立ち向かいたいとずっと思っていました。でもこの問いに限らず、哲学の問いはやはりすべて偉大だと思います。すごく大きくて重くて、こんな卑小な私が簡単に立ち向かえるようなものではない。だからといって諦めていいということではなく、体を鍛えるように問いに見合う私を育てたいと思えるようになりました。生まれてきて良かったのかという問いに簡単に私が立ち向かうのではなく、その問いを支えきるために、例えば本を読んだり他者と対話したりして、まずは私を育てないといけない。問いとともに一緒に歩けるような存在になるということかを考えるようになりました。問いと共に生きるというのは、この問いや悩みが早くなってほしいと思うことではなく、問いと共に歩き、時に問いを背負ったり、膝をついてしまったりするような日もあるけれども、それでも問いと一緒にいるということが哲学なのだと思っています。

森岡　私の場合はどういうときに問いが生まれてきたかを振り返ってみると、もちろん古典的な哲学書を読んで「こんな問いがあるのか！」と感動することもありますが、それよりも私は自分の人生の中で大切な哲学の問いに出会ったことが多いです。身近な人との関係で問いが立ち上がることも多い。人生の中でいろいろな出来事に直面しますが、そういうときに否応なく現われてくる問いのほうが、昔の哲学者から学んだものよりも、私にとっては切実な問いです。

『現代思想』のエッセイで、永井さんは「哲学はつくることはできていない。でも哲学と共にずっと生きている」（「試みる」、二〇二二年八月号、七一頁）と書かれていますが、これは「同伴者としての哲学」の一つの形だと言えます。哲学カフェが終わってから家に帰るあいだ、その問いがずっと私に同伴してくれる。それはいずれ消えていくかもしれないけれど、私のそばで残り続けるかもしれない。そういった「同伴者としての哲学」「同伴者としての問い」というあり方ですね。今日最初に、永井さんは「哲学してるというよりも哲学させられている」とおっしゃいましたが、実は私も同じです。この「させられている」という受動感覚は、超越者、つまり神や仏を感じる感覚に似ている気がします。そして神や仏の感じ方の一つに、やはり同伴者というのがあります。神や仏の姿は見えないけれど、私のそばに同伴してくれているという考え方です。これは宗教の中で生き生きと受け継がれてきた感覚ですね。同じことが哲学でもあり得るのではないでしょうか。同伴者としての哲学や、同伴者としての問いは、目には見えないけれども一緒にいてくれる。あるときはその問いにせっつかれて頭を抱えたり、過去の哲学者の発想に励まされたり、あるいはそういう問いの存在によって世界が違って見えるようになることもある。そういう哲学の広がり方があるのではないかと思います。

永井　私はいま「ねそべるてつがく」（太田出版ウェブマガジン、二〇二二年―）というタイトルの連載をしているのですが、そこでも問いがずっとくっついてきている様子を書いています。問いはたまに背後に隠れたりすることもありながら、でも私にしがみついて離れない。「あなたって何？」「あなたっていったい何なの？」と問いがしつこく話しかけてきて眠れないというようなシーンを書いています。ただその問いに圧倒されて眠りこけるのではなく、問いを振るい落として走るのでもなく、その問いを背中に乗せて目を覚ましたままねそべっている。問いとねそべったり歩いたりするのが、問いとそれでも共に生きるという感覚です。子泣き爺のように邪魔な妖怪ではなく、私が諦めて眠くなったときにずっと話しかけ続けてくれる。「起きて起きて」「もうちょっと話そうよ」と問いが私を励ましてくれる。そういった同伴者という仕方での哲学というのは、ずっと追いかけているモチーフだと思います。

森岡　同伴者としての哲学を厳しい形で表現したのは、ヴィクトール・フランクルだと思います。彼によれば、レーベン（ドイツ語で生命や人生を意味する言葉）という大きな生命から私は常に問いを突きつけられている。私が人生の意味を問うのではなくて、逆に人生のほうが私に問いを突きつけるのだというわけです。この考えはおそらくフランクルがユダヤ教の神をどう捉えるかに関係しています。フランクルの言うレーベンはある種の同伴者のように私には思えます。同伴者たるレーベンから一分一秒つねに問い続けられるというのは、きついですよね。私はたぶんフランクルと同じタイプなので、永井さんの「ねそべる哲学」というのはある意味で衝撃です。フランクルもそれを聞いたら目を回すでしょう。その意味では、今日までの歴史の中で、「ねそべる哲学」みたいなものは残ってこなかったのかもしれません。厳しくない哲学のあり方の可能性のようなものは昔から考えられ続けていると思いますが、やはりそういうぽわんとしたものは生存競争に負けて流されていって、どこかに消えてしまったのかもしれません。あるいはもっと別の政治力学があったのかもしれない。詳しいことはわかりませんが、哲学史というのは結局ドラマチックで強いものだけが選ばれて残っているような気もします。
　私がいまぼんやりと考えているのは、小さな声や、その傷つきやすさが守られ、そしてそれが花開いていくために必要な「大きな哲学」というものがあるのではないか、ということです。小さなものが小さいなりに光っていくためには、それを可能にする地盤や土壌がなくてはならず、その地盤や土壌を守るのが大きな力の役目だと考えています。言い換えると、大哲学ができることは、小さな傷つきやすい声が哲学になっていくことのできるような地盤を作ることです。だから大哲学にはいろいろ問題はありますが、それが今後必要なくなるという考えに私は反対です。大哲学を展開していくためには、小さな声を制圧しないような形で、むしろ逆に小さな声を育て咲かせるような形での大哲学の組み立て直しが必要です。まだ展望は見えませんが、私はその部分に関わりたいと思っています。

永井　いまのお話を聞いて、私自身もそういった仕方で大哲学に関わりたかったのだということがわかった気がしました。それは対話とは何かという私がずっと探究している問いでもあるし、哲学対話やさまざまな現場でいろいろな人の言葉を聞き取りながら、人々と集まるということはなぜこれほど難しいのか、他者とともにあるとはどういうことなのかというずっと貫いている問いでもあり、そこに応答しようと実践を重ねています。だから一回一回の場を開くとか、一回一回の場で何を考えるということだけではなく、場を開くということ自体が自分の探究の一部であって、結局大きな問いとしては大哲学に連なるような問いが自分の中にある。小さな声を可能にするための場を作るための哲学というのも、同時に自分は考えていたいのかもしれません。だから自分の肩書を尋ねられたら、嫌嫌ですけど哲学研究者と名乗るのかもしれないとようやく思えてきました。哲学とは何をすることなのか、人々と共に考える、対話するとはどういうことなのかということは大哲学でも考えたいことです。いま森岡さんがおっしゃったような集団の末尾にでも連なりたいと思いました。

森岡　ぜひそちらに進んでくださると、私も仲間が増えて嬉しいです。いつも言ってますが、私の個人的な意見としては、哲学者は自分で名乗れば哲学者です。そのような仕方で定義できるもうひとつの存在は、詩人です。詩というのは、詩作をしていくなかで詩とは何かを再定義していく作業だと私は思っていて、哲学もそうです。哲学をするとは、哲学をするなかでたえず哲学の再定義をしていくことだと思います。だから哲学とニュートン的なサイエンスが違うのはおそらくここなのだろうと思います。

強くあること、弱くあること

森岡　『水中の哲学者たち』でウォルター・コーハンという哲学者が紹介されているのも面白かったです。この方は、ラテンアメリカの貧しくて公正さを欠いた社会で人々が惨めさの感情を感じられなくなっているところに着目し、その中で自分はどう生きていくのか、そして状況をどう変革するのか、そういったところに彼の言う「子どもの哲学」の実践の動機を見出そうとしています。私はこういうタイプの哲学にとても引かれるところがあります。

一九八〇年代頃までは、社会変革に寄与しない哲学なんて哲学ではないという雰囲気がアカデミーの中にあったと思います。というのは、当時の日本はまだマルクス主義が生きていたので、社会をより良いものに変えていくことこそが哲学だろうと。ところが世代交代に伴って、八〇年代から九〇年代にかけてそういった雰囲気は急速に消えていき、ポストモダンが現れます。社会変革ではなく、言説生産の快楽が強調されるようになりました。その後二一世紀に入ると、哲学研究者は英語の査読付きのジャーナルに論文を発表し、博士号を取らなくてはいけないという流れが強まり、哲学は学問の制度化に組み込まれました。そのことによって、哲学というのは我々の知を再検討することを通じて社会を住みやすいものにしていくものだという考えがどんどん失われていったと思います。だけど私は、そういうふうに制度化されてしまった哲学というものには、大きな情熱を感じることができません。

コーハンの話は、知の変革によって社会を良いものにしていくのが哲学だと私が思っていた頃の興奮や情熱を思い出すので、感銘を受けました。ただ一九六〇年代から七〇年代にアカデミーの哲学研究者たちが言っていた社会変革というのは、やはり大文字の社会変革でした。彼らは、哲学はそれに寄与するのだと言って、例えば一九六九年には安田講堂に立てこもりました。男たちは立てこもってバリケードを作ったり機動隊と戦ったりしましたが、そのときに背後でご飯を作っていたのは女性たちです。おにぎりを作っていた女性たちが、「これはあなたたちが言っていたこととは違うのではないか」と声を上げ始めて出てきたのが、ウーマンリブの一つの流れです。それが八〇年代のフェミニズムに繋がっていくわけです。

初期のウーマンリブの人たちの主張を私も研究しましたが、大きな権力――例えば日本帝国主義――を大きな力で打倒していこうとする男たちの声の下で、潰されていく小さな声がたくさんあるということに彼女たちは目を向けています。だから社会変革はもちろん大きいところでも起きますが、小さなところでも起きなければいけません。このようにして、七〇年代のウーマンリブの人たちは、機動隊と戦っていた男たちに対して内部から反旗を翻しました。日々を生きる小さな隅々で変革されるべきものはたしかにあって、哲学はそこに関わらなければならないと私は思います。資本主義や帝国主義に対抗するための大きな言葉だけだとダメなのです。かといって「頭の良さゲーム」を戦わせて階段を上っていく制度化されたアカデミーの哲学のようなあり方も、私はそれがすばらしい哲学だとは思いません。永井さんの本を拝見していてそのあたりのことを何度か思い出しました。

永井　嬉しいですね。私はもともとサルトルに熱狂して哲学科に入ったので、アンガジュマンという感覚がすごく大きいです。社会の中で哲学をする、社会の中に埋め込まれてしまったこの私が考えるというところから出発しているので、切り離されて遊離した私自身が何かを考えるということに対して抵抗したい気持ちがあります。釜ヶ崎で詩人の上田假奈代さんがひらいている「ココルーム」という表現の場があるのですが、そこで上田さんが「家事と事務」という言葉をたびたび掲げています。つまり、家事や事務作業がいかに見えなくされ軽んじられてきたか、しかしそれがいかに重要なのかを指摘しています。運動の文脈でも、女性がご飯を作っていたり、女性や若い学生が事務作業をしたりしているというのがまだ残っている。大文字の言葉を使ったり、男性たちやマジョリティ属性が強い人たちが前に出たり代弁したりしてしまうということはたくさんあります。ではその男性たちのパンツを洗っているのは誰かというと、女性たちだという話はまだまだたくさんあります。哲学の言葉もわりとそうですよね。こんなことを書いているけどあなたのパンツはパートナーが洗っていますよね、みたいな論文はたくさんあります。そういった乖離をどう考えたらよいのかはずっと考えています。

問うということを過大評価するコーハンのあり方が私はとても好きです。やはり問うということは本当にラディカルなことで、どんなに小さくて日常の中でかき消されるようなことであっても、「これはなぜそうなのか」とまろび出てしまう問いをちゃんと取り上げて、これは社会変革に繋がるようなものだと言う。それは家事と事務を重んじる上田さんのように、家事や事務を丁寧に考える、そういうところにもう少し哲学も向き合いたい。うまく言えませんが、大文字の哲学に抗おうとしているモチベーションは私自身もあるというのが言いたかったことのような気がします。

そういうことを考えたとき、強い人がそれでも引き受ける責任、強い人が哲学するとはどういうことなのか、強い人の語る言葉にはどういうものがありうるのかは、気になっています。一つの応答の仕方が、森岡さんがさっきおっしゃったような小さな声をかき消さないための大きな哲学というのはあると思いますが、ではそのときに使う言葉は、大きい言葉や強い言葉なのでしょうか。

森岡　そういうときに使う言葉は、やはり抽象度や普遍性が高いものになるとは思いますが、それでもなるべく日常語に近いことが大事だと私は考えます。だから永井さんの本に出てきた哲学教授の言う「世界の世界性」ではダメなんです（笑）。そんな言葉はよくわからないし、もっと違う言い方でいくらでも言えるでしょう。それこそ哲学カフェに参加する人が日々使ってるような言葉に新たな意味を乗せることによって、普遍的で強い言葉にしていくという作業を、哲学者は工夫してみるべきではないでしょうか。言葉自体はふだん使っているものでありながら、何か大事なこと言っているように思えるから何だろうと人々が前のめりになったりするような、そういう言葉を見つける。あるいは、そのような力を持った言葉のつなげ方、文脈の作り方を考える。このあたりはプロの哲学者がするべきことではないでしょうか。だから逆にいうと「世界の世界性」のようにハイデガーの言葉を借りてきて自分の口から言うのは、楽をしてるわけです。どうすれば日常語を使って普遍性が高くかつ多くの場所で通用して人々をうなずかせるような強い言葉を編み出せるのか、というところで哲学者は勝負すべきなのです。ハイデガーの言葉なんか使うものか、自分で生み出してやる、と思って苦しむ。ハードな道を進む人はそうするべきですが、その道を進まない人がねそべって哲学するのはとてもすばらしいオルタナティブのように思います。これはけっして皮肉を言っているのではありません。

永井　大哲学を組み立て直すその末席にいたいと言いながらも、私はねそべる言葉や弱い言葉、わかりづらい曖昧な言葉を私はおそらく書き続けるのだろうと思います。

そのときに、大きな言葉と対抗するように書くことももちろんあるのですが、別に戦いたいわけではありません。本当は共同できるものでありながら、いまは連帯が難しいと感じています。『水中の哲学者たち』を出版したときも、強い共感か、激しい反発の二択という極端な反応になってしまいました。もちろん大哲学の一部には完全に反対したり戦ったりするべきだと思うときもありますが、でも森岡さんが試みられるような強い言葉というものと私が試みたい弱い言葉というのが連帯していく道筋はどういうものがありえるのかをお聞きしたいです。

森岡　連帯というよりは、少し距離を取りながら同じ方向を向いてやっていけるのではないでしょうか。私の中にも私なりのぼんやりした弱い言葉というのがあるわけで、『人生相談を哲学する』（生きのびるブックス、二〇二二年）は、哲学をねそべる側の言葉で語るとどうなるかという試みでもありました。でもやはり私はあまり得意ではなくて、『生まれてこないほうが良かったのか？』のような本のほうがもっと哲学らしい硬い言葉でやりやすい。こうやって強い言葉と弱い言葉を書きわけてみているのですが、それは永井さん自身もそうでしょう。サルトルの問題提起をどのように自身で受け取ってこれから展開するかといった話になると、おそらくねそべる言葉とはだいぶ違う言葉遣いをするのではないでしょうか。だから、得意不得意はあれ、私の中にも両方の道筋は可能性としてあるし、永井さんの中にもきっとある。だから森岡の道と永井の道みたいなのがあってそれがどう共同するかと話ではなくて、私の中にも永井さんの中にも両方の道があり、我々のあいだでそれらがうまく共鳴するようになっていけばいいなというイメージを私は持っています。

（二〇二二年九月八日）

解説　対話によって開かれていく哲学とはどのようなものなのか？

永井さんには、おそらく「哲学プラクティス連絡会」の準備会ではじめてお目にかかったのだと思う。と言ってもそれは一方的なもので、私は永井さんの哲学対話のセッションに一参加者として座っていただけである。永井さんによる哲学対話についてのレクチャーのあと、参加者がグループ分けされて、各グループで実際の哲学対話が始まった。自分が哲学対話の参加者となるとは予想してなかったが、不思議な感じで面白かった。私がふだん大学の授業でやっているものとはまったく違った空間だった。

永井さんと対談して、自分が若かったときのことをいろいろ思い出した。私が哲学倫理学の学科に進学していちばんつまらなかったのは、授業で過去の哲学者についての文献的研究しか行なわれていなかったことだ。いまはもっと多様な授業があると思うが、当時は状況が違った。私は自分の哲学を作るために文学部に進学したのに、そういう場所は大学のどこにもなかったのだ。

　私は大学院に進んで、日本哲学会と日本倫理学会という学会に入った。しかしその学会発表を聴いても、事情はまったく同じだった。たとえば、「この時期のハイデガーは何を考えていたのかを、彼の講義ノートから探る」のような研究ばかりが並んでいたのである。それらの発表タイトルを見るたびに、私は、「聞きたいのはハイデガーの思想形成ではなくて、それを発表しているきみがどういう哲学を打ち立てようとしているかだ」と言いたい気持ちを抑えることができなかった。私は日本倫理学会で自分の最初の発表を行なったのだが、その発表は日本倫理学会がいかに同時代の倫理的諸問題に答えられていないかを指摘して、学会批判をするものだった。発表が終わったとき、会場には白けたような雰囲気が漂い、しかし後ろのほうの席では数人が小さく拍手して喜んでいた。

　私の発表は、公的にはなんの反響も呼び起こさず、若かった私は意気消沈した。もっとも、私の発表を面白がってくれた先輩たちから研究会に誘われ、その研究会では楽しい時間を過ごすことができた。しかしながら、哲学者たちが自分の哲学を作り上げてみんなと議論するような場所を、大学や学会の中で見つけることはできなかった。そして私はだんだんとアカデミアから距離を取り、商業出版の世界へと移っていったのだった。その後のことは、本書第5章に収められた私のエッセイに書いたので、ぜひお読みいただきたい。

当時の私にとって、哲学とは、過去の哲学者について研究をすることではなくて、自分が抱えている哲学的な問題について、自分の頭と言葉で答えを探求していくことであった。過去の哲学者についての研究論文を積み重ねないと評価されない日本の哲学界は間違っていると思った。この点については、私はいまでも同じように考えている。ただし、歳を重ねるにつれて、別の考え方もまた私の中に芽生えてきた。それは何かというと、哲学の作業は、同時代や過去の哲学者との共同作業だと思うようになってきたのである。同時代というのは理解可能だが、過去の哲学者というのはどういうことだろうか。

私は生と死の問題や、セクシュアリティの問題について哲学的な思索を試みてきた。しかしそのプロセスで思い知ったのは、自分一人だけではすぐに限界にぶつかってしまうということだ。自分の頭と言葉だけで走れる距離は、それほど長くない。どこかでエンジンが止まり、そこから先に行けなくなるときが来る。その限界を突破するためには、同時代で同じような問題を考えている人たちとコミュニケーションすることが必要となる。そしてもうひとつ必要となるのが、過去に同じような問題を考えた哲学者たちが残してくれた作品群である。自分の限界を突破したいという思いで読むとき、過去の哲学者たちの残してくれた言葉は、愛おしいほど甘美に私の中へと染み渡ってくるのだ。「きみはそのように考えたのか、では私はこういうふうに考えてみよう」というような対話が、過去の哲学者と私のあいだで生まれてくる。彼らはもう亡くなっているのだけれども、そこに立ち現われているのは、紛れもない真の対話である。そういうとき、私は過去の哲学者たちといまここで共同作業をしている気持ちになる。

私は過去の哲学者の思想形成を研究しているのではない。私は過去の哲学者とじかに対話をしているのである。もう何百年も何千年も前に地上から姿を消した彼らと、こんなにもリアルな対話ができるなんて驚くべきことだ。私はアリストテレスを読みながら「おまえ、すごいなあ!」と声を出すことがあるし、カントを読みながらゲラゲラ笑い出すこともある。自分のオリジナルであると思っていた思索が過去の哲学者によってすでに書かれていたことを発見し、そっと本を閉じることもある。「私はいまこういうことを考えているんだけど、きみはどう思う?」と彼らに話しかけることもある。そして、そのような対話から何か新鮮な思考が生まれてきたとき、私は心の底から幸せになって、目を瞑ってしまう。

問いかけることによって、彼らの作品の見え方も刻々と変わってくるのだから、これは双方向の対話なのだ。なんどやっても答えが見つからず、こんなに孤独で、なんの価値もないように思われる哲学の思索を、同じような暗い世界でひたすら追求してきた、そういう先輩たちがたくさんいたこと、その事実によって私の心は深いところで救われていく。富を生み出すわけでもなく、幸福を生み出すわけでもなく、科学的知識を生み出すわけでもない、そのような知的作業を、いのちを削りながら続けてきた人たちの思索がこの現代までいくつもの流れとなってつながってきている。そのような探求のつながりの末端に私もいまここで組み込まれる。これが私にとって哲学するということである。哲学とは共同的な営みなのである。

私がいままで刊行した書籍や論文に書かれていることよりも、私の手元にまだメモの形で大量に積み重なっているもののほうが断然面白いし、いまの私をわくわくさせる。それらの発想の断片たちは、それぞれが細い糸を伝って過去の哲学者たちの思索へとつながっている。そして私はそれらの発想の断片たちを何度も何度も組み替えながら、不思議な建物を少しずつ織り上げていく。きっと、できあがったものよりも、できあがらなかったもののほうが多くなるのだろう。おそらく創造とはそのようなことなのだ。過去の哲学者たちもそうだったのだから。

対話において過去は存在しないのだろう。過去の哲学者と対話するとき、彼らは過去ではなく、いまここにありありと現われている。私が対話しているデカルトは、過去の人物ではなく、いまここに現われているデカルトなのだ。その意味で、哲学的な対話はすべていまここにおいてなされるのであり、いまここへと召還されて来る哲学者たちは、すべていまを生きる哲学者なのである。本を閉じて本棚に戻すたびに、いまを生きる哲学者たちはいったん仮死状態となる。そしてその本をふたたび取り出すときに、彼らはまた生き始める。そしてこのようなことを書いている私もまた、やがて過去の哲学者となり、仮死状態となって本棚に入ったり、そこから出てきて誰かと対話したりするようになるのだろうか。過去とはいったい何だろうか。過去というのは偽装された未来なのではないか。客観的な時間軸において過去はあるのだけれども、生きる時間において過去は未来としてしか存在しないのではないか。生きるという視点から眺めたとき、時間の流れはとてつもなく奇妙なものになっている可能性がある。私はいまそのようなことを考えている。

第5章

私にとって哲学とは何をすることか

大学の哲学への失望

私にとって哲学とは、私がこれからどう生きて死ぬのか、生まれてきた意味は何なのかを自分に納得できるまでとことん追究することである。視野をもう少し拡大すれば、人類はどこから来てどこへ行くのかを知的な目で確かめることである。東京大学倫理学研究室に進学したとき、私はそういうことを大学でできると思っていた。しかしその期待は見事に裏切られた。倫理学研究室やその隣の哲学研究室でなされていたのは過去の偉大な哲学者のテキストの細部をひたすら原語で読解し解釈することであり、それこそが哲学であり倫理学であるとされていた。私は大学院に進学しつつもその考え方に強く反発し、院生のときに行なった日本倫理学会での最初の発表は日本倫理学会批判であった。その発表「現代日本の哲学をつまらなくしている三つの症候群について」（一九八六年頃、抜粋をウェブで読める）は学会にインパクトを与えると思ったが実際にはほとんど反応もなく、私はその後数本の論文をいくつかの学会誌に書いてから、学会というものに背を向け、単行本の商業出版の世界に活動の場を移した。

　このエッセイでは、その後の変遷を細かく語ることはしない。そのかわりに、私と哲学のかかわりを三つの項目に分けて紹介する。『現代思想』の本特集（特集＝哲学のつくり方、二〇二〇年八月号）で、私のようなシニアの哲学者はきっと「自分は哲学の世界でこのように生きてきた」という話をするだろうし、私もいまからそうするのだが、そしてそのような行ないは若い哲学者たちから評判が悪いことも知っているのだが、私はまったく空気を読まずにいまからそれを遂行する。なぜなら私にとって哲学とは私自身の生をきびしく吟味し直し、それを通じて世界や人々と関わり直すことに他ならないからである。私はその方法論を「生命学」と呼んでいる。

私の死・生命学・感じない男

　いままで何度も書いたことであるが、大事なのでこのエッセイでも最初に述べておきたい。小学校高学年のある日、「私が死んだら私はどうなるのか？」という問いが私を襲った。その問いは「私が死んだらこの宇宙はどうなるのか？　私なしで存在し続けるのだろうか？」と広がっていった。完全な無、というイメージが私を貫いた。私は死の恐怖を感じた。私はこのときに哲学者になった、というより無理矢理に哲学者にさせられてしまった。その時点までの私はまだ幸福な子どもの世界を生きていた。しかしこれ以降、私は観念的な死の問題をひとときも忘れることができない人間に変わってしまったのだ。この問いに対して満足できる答えを与えられないかぎり、私はけっして死ねないという切迫した気持ちがそれ以来ずっと私のなかには存在する。

私はこのようなタイプの哲学者である。だから、他のタイプの哲学者のことは実はあまりよくわからない。私が解きたいのは、自分が直面しているこの問いのみである。もちろんそれは、他の問題へと必然的に展開するので、考えるべきテーマは限りなく広がるのであるが、しかし根本にあるのはこの問いである。私にとって哲学とは、私の心に突き刺さったこの問いに納得できる答えを与えようとする試みである。したがって根本のところでは、私は哲学を自分のためだけに行なっている。ただしそれを遂行するためには、現在や過去の人たちから力を借り、共同で進めていく必要がある。孤独になりがちな掘り下げの作業を遠くから支え合う同志の存在があってほしい。

「私の死」について考えていくと、そもそも「私の死」において死ぬのはいったい誰なのかという問いに直面する。そこにおいて死ぬのは、そこにもあそこにもいるたくさんの「私一般」ではなく、「宇宙にただひとりだけ特殊な形で存在するこの私」でなくてはならない。しかしそれはいったい何なのか。若き日に取り憑かれていたこの問題に一筋の光を投げかけたのは、東京大学の図書館で読んだ『ウパニシャッド』であった。そこに書かれていた言葉「お前はそれである」こそが、「宇宙にただひとりだけ特殊な形で存在するこの私」というものの本質を言い当てた金言であると私は直観した。そしてそれから四〇年の歳月を経て、私ははじめて『ウパニシャッド』から学んだことを言語化できた（『生まれてこないほうが良かったのか？』第四章「輪廻する不滅のアートマン」、筑摩書房、二〇二〇年）。その後、永井均との対決的討論を経て、この考えは「貫通型独在性」の概念へと熟しつつある（永井均・森岡正博『〈私〉をめぐる対決』第五章「貫通によって開かれる独在性」、明石書店、二〇二二年）。

「私の死」は独在性の次元でのみ正しく問えるという直観は、私に生命学の発想をもたらした。生命学とは、自分をけっして棚上げにしない知の方法である。ある問題について考えるときに、それを考えているこの私はその問題にどう関わってきたのか、そしてこれからその問題にどう関わろうとしているのかをつねに視野に入れて考え続けていくような方法論のことである。生命学においては、学問を行なうことと、自分が生きることが直接に結びついている。私は生命学を現象学のような方法論的学問として考えている。それは哲学を超えて、様々な学問に適用できる知の方法へと成熟していくはずである。

自分のことを棚上げにして、倫理的問題や社会問題を語る学者は多いが、生命学はそのようなやり方を拒絶する。他人のことを言う前に、自分はいったいどうなのかを考えなくてはならない。そこからスタートするのである。生命学という言葉は、私の第一作である『生命学への招待』（勁草書房、一九八八年）で導入された。それを全面展開したのは、『宗教なき時代を生きるために』（法藏館、一九九六年）と『感じない男』（決定版、ちくま文庫、二〇一三年、原著二〇〇五年）である。

『感じない男』は、男性のセクシュアリティを容赦なく抉った男性学の書物として受容された。書店ではジェンダーの棚に並んでいることが多かった。しかしながらこの本は、自分をけっして棚上げにしない生命学の書物であり、一度かぎりの人生をどう生きればいいかを探った哲学の試みなのである。哲学の世界にいる読者が読めばきっとそのように感じるはずである。『感じない男』において、私は男性のセクシュアリティ一般について語ることを拒絶した。そのかわりに、私自身はどのようなセクシュアリティを生きてきたのか、そしてそれは私をどのようなところへと追い込んでいったのかについて語った。射精後の空虚な感覚によって自分の実存が脅かされること、そこから目を背けようとして、これとは違った素晴らしい快楽の世界がどこかにあるのではないかという妄想に取り憑かれたことを語った。また自分が学校制服に性的に惹かれることを語り、その背後に、学校というものに向かって射精したいという欲望があることを語った。

さらには、少女の身体に性的に惹かれるロリコンの感性が自分にあること、そしてその背後には、思春期の分かれ道において自分が男性の道筋へと進んでしまった事実への後悔があることを語った。そしてロリコンの感性とは、その男女の分かれ道の年齢の時点にまで時間を遡って、その地点から少女の道筋へと進んで少女を内側から生きてみたいという実現不可能な願望に他ならないと考えた。それは、この私が少女になりたい、少女になって自分の人生をもう一度生き直したいという願望だったのである。これは服装倒錯とは異なる。私は少女の服を着たいのではなく、少女の身体を着たいのである。そして自分のなかに潜在していたセクシュアリティを明るみに出すことができたおかげで、私は少しだけ生まれ変わることができた。それについては文庫版のあとがきに書いてある。また本書刊行後の事象として、Twitterアカウントで少女のイラストや写真をアイコンとして愛用する男性利用者たちや、美少女Vtuberになりきる男性たち（バ美肉）の出現によって、少女の身体を着たいという願望がこの社会に広く存在していることが推察されるようになった。

『感じない男』は生命学の方法論のひとつである「自己告白的方法」によって書かれている。そしてこの本は、読者に向かって、「ではあなたは自分のセクシュアリティをどう考えるのか？」と問う本でもある。私が自分自身のことを正面から語っているからこそ、この問いかけが意味を持つのである。その過激さゆえに哲学アカデミアや哲学の授業では論じることができないと思われるが、実は「セックスの哲学」というジャンルのど真ん中に位置するものである（*The Routledge Handbook of Philosophy of Sex and Sexuality*（2022）など参照。ちなみに『宗教なき時代を生きるために』では、同じ方法がオウム真理教事件に関して用いられている）。本特集「哲学のつくり方」で言えば、『感じない男』で用いた生命学の「自己告白的方法」は、今日の正統派の哲学のつくり方のひとつとなり得る。なぜなら、これはアウグスティヌスにまで遡る由緒ある哲学のスタイルでもあるからだ。

無痛文明論

ところで、私の哲学的関心は自分自身の存在と人生へと向かうのだが、しかしそれだけにとどまるのではなく、冒頭で述べたような、人類はどこから来てどこへ行くのかという問いにもまた向かうのである。それは、私が二〇代から三〇代にかけてひりひりと感じざるを得なかったところの、「私は苦しみを避け快を求めようとしているのに、どうして私は幸せになることができず、その逆に、砂糖の海に溺れて窒息するような不全感に飲み込まれてしまうのか」という疑問から生まれてきたものだ。そしてそれは、当時研究していた生命倫理の難問と関連しているように思われた。科学技術が発展した結果、体外受精によって作成された受精卵の染色体を調べて、もし先天的な障害が見つかればその受精卵を廃棄し、障害が見つからない場合にのみその受精卵を子宮に入れて赤ちゃんを産むことができるようになった。新優生学のひとつの形なのであるが、哲学的に考えれば、これは将来に起きてほしくないことや避けたいことを、予防的に排除していくテクノロジーであると言える。このような営みは、生殖技術だけではなく、現代社会のあらゆるところに見られる。とくに自然環境を管理するテクノロジーや予防医学にそれが典型的に現われている。私はこれを「予防的無痛化」と名付けた。予防的無痛化は、人類による自己家畜化と密接に関連している。人類は野生動物を家畜化してみずからに都合の良い道具としたが、それと同じことを人類自身に対しても行なったのである。そのときの手法のひとつが予防的無痛化であった。自己家畜化の考え方は、二〇世紀の人類学から出てきたものだ。私はそれをさらに発展させて「無痛文明」という概念を作り出した。人類が紀元前に農耕牧畜文明を立ち上げたとき、人類は無痛文明の方向に進み始めた。一九世紀に科学技術と産業社会と資本主義が文明の駆動力となり、文明の無痛化はさらに促進された。現代の先進諸国はまさに無痛文明に向かって邁進している。

無痛文明とは、痛みや苦しみを避け快や快適さを追い求める仕組みが社会の隅々にまで張り巡らされた文明である。予防的無痛化は無痛文明を推し進める仕組みのひとつである。無痛文明は、一見すると人類の理想の文明のように思われるけれども、実際には人間たちから根源的なよろこびの可能性を奪い、人間たちを生ける屍にしていく文明である。無痛文明に適応して生きる我々は、自分たちから根源的なよろこびの可能性が奪われようとしていることに気づいている。しかし我々は、そこから簡単に逃れ出ることはできない。我々は無痛文明から逃げ出す必要がない理由を次々と探し出し、無痛文明のままでいいのだ、ここから外に出る必要はないのだと自分たちに言い聞かせる。そのような思考と行動のエネルギーを駆動源として、無痛文明はさらに肥え太っていくのである。無痛文明に絡め取られているのは、この私もまた同じである。無痛文明の仕組みを暴こうとすることそれ自体が無痛文明の展開に寄与するという悪夢のような自己言及性が無痛文明の本質である。『無痛文明論』（トランスビュー、二〇〇三年）では、他の重要概念である「二重管理構造」「身体の欲望と生命の欲望」「無痛化装置とその解体」などが提唱された。この本は未完のまま終わったが、私の代表作とみなす読者は多い。

これは哲学の本であるけれども、哲学アカデミアで無痛文明論が考察対象となることはほとんどない。職業哲学者は無痛文明論には無関心のようである。その理由の一つとしては、現代日本の哲学が社会全体を説明しようとする大きな物語に興味を失ったことがあげられる。もうひとつは、文明論というジャンルが哲学思想の外部へと追いやられたことがあるだろう。かつてはマルクス主義思想、レヴィストロースらの文化人類学、今西錦司・梅棹忠夫らの文明学が哲学の世界でも議論の対象となっていた。その時代が終わったのだ。現代日本の哲学が主に関心を示しているのは、欧米哲学者の個別研究に加えて、分析哲学、分析的倫理学、分析美学などである。文明学的統合とは正反対の方向性である。もちろんそれらのジャンルはなかなか面白いので、私自身その領域で論文を書いてはいるけれども、もしそれこそが哲学だと言われたとしたら、私はその考えを拒否したい。それはかつて「哲学者研究こそが哲学だ」と言われたときに私がそれを拒否したのと同じ理由による。私は、文明学的統合を哲学が手放してはならないと考える。

したがって、私にとっての哲学のつくり方の第二は、人類はどこから来てどこへ行くのかという問いに対して、独自の切り口から文明学的統合研究を遂行することである。『無痛文明論』は未完にとどまっているので、続篇を書くつもりだ。そして私は無痛文明論を哲学の議論へと持ち込みたい。そのためにはこのアプローチに積極的な関心を持つ哲学者や研究者を見つけなくてはならない。本書を書いた二〇年前より現在のほうが世界の無痛化は進んでいる。近年の米国社会の鎮痛剤危機はまさに無痛化のもたらす危機そのものであろう。二〇二一年に『無痛文明論』第一章の英訳をオープンアクセスでウェブ公開した。するると英訳を元にトルコ語訳の書籍が刊行された。文明学的な視野を備えた哲学を求めている人々は世界に少なからずいるのではないか。

哲学アカデミア・人生の意味の哲学・誕生肯定

二〇〇五年に『無痛文明論』を刊行してから、私は行き詰まりを感じていた。この本もまた生命学の方法論で書かれていたのだが、そのようなドラマ的手法だけでは、複雑な哲学的問題を冷静かつ客観的に議論することは難しいとわかったからである。つまり、自分をけっして棚上げにしない生命学の方法論と、自分をいったん棚上げにして問題を問題それ自身として吟味検討していくアカデミックな方法論の二種類がともに必要だと思うようになった。これはけっして生命学の方法論の否定ではない。生命学の方法とアカデミックな方法は車の両輪なのである。どちらも必要なのだ。

というわけで、一度アカデミアを捨てた私は、ふたたびアカデミアに戻ってきた。二〇年ほどのあいだアカデミアから離れて仕事をしていたから、新着学術誌を読んだり、学会に出席したりしながら少しずつリハビリをした。そして脳死の哲学で博士号を取得した。

アカデミックな哲学の世界で私が求めたのは、生命について包括的な哲学的考察を行なう「生命の哲学 philosophy of life」という領域であった。しかしながら、哲学アカデミアには「生命の哲学」という領域は存在しなかったのである。著名な百科事典、たとえばスタンフォードエンサイクロペディアにもウィキペディアにはあるがほとんど内容がない。類似領域として「生の哲学」と「生物学の哲学」は存在したが、前者は一九―二〇世紀のヨーロッパの哲学者の研究に限定されているし、後者は文字通り生物学を対象とした分野である。人間や人間以外の生命を包括的に考える哲学領域がアカデミアに存在しないという事実は驚くべきである。また、このような分野をメインの対象とした学術誌も英語世界には存在しなかった。

そこでまず私は、生命の哲学を対象とした投稿型ピアレビュー英語学術誌を創刊しようと考えた。友人たちの協力を得て、二〇一一年に学術誌 *Journal of Philosophy of Life* をウェブで創刊し、掲載論文を大学図書館のリポジトリからすべてオープンアクセスでダウンロードできるようにした。オープンアクセス料は取らないこととした。当初はわからないことだらけで試行錯誤したが、その後一〇年を経て、現在は安定的に運営されている。この学術誌の運営の過程で、「人生の意味の哲学 philosophy of life's meaning」という新ジャンルが英語の哲学世界に登場していることを知った。人は何のために生きるのか、生きることに意味はあるのか、何が人生を意味あるものにしているのか、などを哲学的に考察するのである。この分野の国際会議はまだ存在しなかったし、専門の学術誌も存在しなかった。そこでこの分野を牽引しているサディアス・メッツ氏（プレトリア大学）に声をかけて、二〇一五年に*Journal of Philosophy of Life*で彼の著書の特集を刊行した。日本ではちょうど蔵田伸雄氏（北海道大学）がこの分野の研究を開始していたので、私は彼の研究グループに合流した。そして二〇一八年に北海道大学で蔵田氏を大会長として第一回の「人生の意味の哲学国際会議 International Conference on Philosophy and Meaning in Life」が開催された。この国際会議はこの領域で世界初の本格的な公募型学術集会であり、その後、大会長を変えながら、早稲田大学・バーミンガム大学・プレトリア大学と回を重ね、二〇二三年には東北大学で第五回が開催される。関係者のあいだで認知が進んでおり、世界から多数の発表者がある。現時点で、この領域を代表する国際集会となった。日本を含む世界からの八名の委員の合議で運営している。*Journal of Philosophy of Life*は、現在、この学術集会の査読付き成果論文の発表場所となっている。

哲学アカデミアに戻り、これらの経験をするなかで、いろんなことを思うようになった。まず、哲学論文の発表形態としてはオープンアクセス（誰でも無料でダウンロードできる）が理想的である。ただし海外の著名学術出版社の英文学術誌からのオープンアクセス論文出版は馬鹿げた値段を著者に請求するので滅びたほうが良い。査読学術誌のまったく新しい刊行システムを世界的に整える必要がある。*Journal of Philosophy of Life* はテーマを絞っており、学会発表を一回経るので、編集者と査読者のボランティアおよび大学の研究費でなんとか運営できている。

また、日本の哲学界は、日本語話者が提出した思索よりも、英語圏や仏語圏や独語圏の流行にいかに反応するかのほうに気を取られすぎていると私は判断している。これは日本の哲学アカデミアが以前より抱えている弱点であり、いまだに改善されていない。たとえば大森荘蔵の独創的な哲学がすでにあるのに、日本の哲学者たちは彼のオリジナルな思索を批判的かつ前向きに展開して、そこから新しいひとまとまりの哲学の新潮流を生み出すような集合的な仕事をしてこなかった。あるいは日本の現代フェミニズム思想の独創的源泉である田中美津の仕事を哲学アカデミアはどう考えているのか（ひょっとしたら男性哲学者たちは彼女の本を読んでいないのではないか）。日本語で新鮮な形而上学を構築中の永井均や入不二基義の仕事をなぜ哲学アカデミアは批判的かつ前向きに同時代の大きな流れへと盛り上げていかないのか。学会でいくつかの試みがあったことは知っているが、散発的にとどまっている。やはり日本の哲学アカデミアは、現代日本の哲学者から次代の革新的な哲学潮流が出てくるかもしれないとは本気では思っていないのだろう。

そのような経緯もあり、私自身は最近、自分の学術的成果は英語の論文で刊行する方向に切り替え始めた。アカデミックな哲学の領域で現在私が提唱しているオリジナルな概念は「誕生肯定 birth affirmation」と「アニメイテド・ペルソナ animated persona」である。前者は「生まれてきてほんとうに良かった」と自分の誕生を肯定することであり、私は可能世界解釈と反‐反出生主義解釈の二つによってそれを分析することを提案している。後者は、脳死の人が家族の目にまるで生きているように映ることや、死んだ人の存在をありありと日常生活で感じることや、ロボットをまるで生きた人のように感じることなどを可能にしている現象学的機構のひとつとして私が提案した概念である。海外で反応してくれる人たちも現われているので、さらに展開していきたい。また、反出生主義の哲学が最近注目を集めており、『現代思想』二〇一九年一一月号の特集でも反響があったが、私はその思想を古代ギリシア的源流、古代インド的源流、二〇世紀の反生殖主義の三側面から包括的に捉える論文を書いた（What Is Antinatalism?: Definition, History, and Categories, *The Review of Life Studies*, 12 : 1–39, 2021）。総説論文として良く読まれている。

哲学のつくり方の第三としては、もしオリジナルな哲学的発想があるときは、最初から英語論文で世界に向けて発表するのがもっとも実りある展開になるだろうということだ。アジア・中南米・アフリカなどの哲学者たちとじかに交流することができる。オーディエンスも圧倒的に大きい（もちろん英語帝国主義批判の視座を持つことは必須である。また、哲学アカデミアでは英語の投稿論文数が世界的に多くなりすぎて、学術誌になかなか掲載されないという問題が起きている。大学リポジトリなどでの個人公開や、オープンアクセス学術誌の新規ウェブ創刊を積極的に試みるのがよいと思う）。

その一方で、『現代思想』や『フィルカル』などの日本語の哲学系商業誌に、私は大きな期待を寄せている。それらの雑誌は日本の哲学アカデミアの権威主義の影響をさほど受けていないように見えるし、日本語圏で今後自生的に提唱される新概念や方法論を軽いフットワークで盛り上げていける可能性があると思う。日本の哲学アカデミアではやりにくいことを、哲学系商業誌が担うというのは理にかなっている。哲学では単行本による研究成果の刊行が重要だから、商業誌が単行本とリンクして自生的哲学を盛り上げていくのは良い作業分担だろう。私も可能なかぎりサポートしたい。念のため繰り返しておくと、欧米の哲学思想を仔細に研究することそれ自体を私は批判しているのではない。欧米哲学思想研究こそが哲学の本筋だと当然視する考え方およびそこから発する自生的哲学への抑圧を私は批判しているのである（これに加えて、「西洋哲学が哲学である」とする偏見が大学の哲学を覆っているという大問題がある。たとえば東京大学の哲学専修は西洋哲学しか扱わないのに哲学専修を名乗るのはおかしいと私は思う）。

今後の日本の哲学アカデミアは、若い人たちが良いものに変えていってくれると私は信じている。今回のエッセイでは触れられなかったが、学会や大学院のジェンダー不均衡問題や、教員ポスト問題や、有期雇用問題など、至急に改革しなければならない具体的課題が山積しているのは言うまでもない。それらを変えられなかった私たちと私たちより上の世代の罪は重い。

私は、人生探求の学としての生命学と、アカデミックな生命の哲学を、これからの仕事としてまとめあげていきたいと考えている。この二つはきっと統合されず、いつまでも緊張関係を保ちながら対立すると思われるが、その動的な対立それ自体に価値があるはずだ。それは『誕生肯定の哲学』（仮）という大部の書物に結実する予定である。これが私の第二の主著となる。いままで通り、私は自分のやりたいように進んでいくつもりである。

あとがき

本書は、過去四年間に行なった四本の対談を集めたものである。第1章から第3章までは雑誌『現代思想』に掲載された対談であり、第4章は本書のために新たに語り下ろされた。各章には、いまの時点から振り返って書いた解説の文章を付け加えてある。第5章は『現代思想』に掲載されたエッセイである。私が哲学をどう考えているのかをコンパクトにまとめたものだ。

読者のみなさんには、哲学をすることの意義と楽しさをぜひ味わっていただきたい。私の哲学に対する考え方はまだ揺れているが、それも含めて読み応えのある本に仕上がったと思う。本書の企画は、青土社の加藤紫苑さんが、私の対談をまとめる形で哲学入門の本を作りたいと提案してくださったところから始まった。哲学への入門が複数人との対話形式で成り立つかもしれないというのは新鮮な発想だった。加藤さんにはたいへんお世話になった。哲学がこれから多くの人たちに開かれていくことを心より願っている。

二〇二三年一月一日

森岡正博

初出一覧

はじめに（書き下ろし）
第1章「生きることの意味を問う哲学」『現代思想』二〇一九年一一月号
「解説　反出生主義はほんとうに自殺を導かないのか？」（書き下ろし）
第2章「〝血塗られた〟場所からの言葉と思考」『現代思想』二〇二二年七月号
「解説　加害者であることを引き受けられるのか？」（書き下ろし）
第3章「未来の大森哲学――日本的なるものを超えて」『現代思想』二〇二一年一二月号
「解説　日本語で哲学をすることができるのか？」（書き下ろし）
第4章「降り積もる言葉の先に」（録り下ろし）
「解説　対話によって開かれていく哲学とはどのようなものなのか？」（書き下ろし）
第5章「私にとって哲学とは何をすることか」『現代思想』二〇二二年八月号

＊本書収録にあたり、一部加筆・修正を施した。

戸谷洋志（とや・ひろし）

1988年生まれ。関西外国語大学英語国際学部准教授。現代ドイツ思想を中心にしながら、テクノロジーと社会の関係を研究している。また、「哲学カフェ」を始めとした哲学の社会的実践にも取り組んでいる。第31回暁烏敏賞受賞。著書に『ハンス・ヨナス　未来への責任――やがて来たる子どもたちのための倫理学』（慶應義塾大学出版会）、『未来倫理』（集英社新書）、『スマートな悪――技術と暴力について』（講談社）などがある。

小松原織香（こまつばら・おりか）

1982年生まれ。関西大学文学部学術振興会特別研究員（PD）。主な関心は、戦争、犯罪、災害などのサバイバー（生き延びた人々）の“その後”。現在は、水俣地域を中心に、環境破壊後のコミュニティ再生について研究している。第10回西尾学術奨励賞、第13回社会倫理研究奨励賞受賞。著書に『性暴力と修復的司法――対話の先にあるもの』（成文堂）、『当事者は嘘をつく』（筑摩書房）がある。

山口尚（やまぐち・しょう）

1978年生まれ。哲学者。専門は、形而上学、心の哲学、宗教哲学、自由意志について。著書に『幸福と人生の意味の哲学――なぜ私たちは生きていかねばならないのか』（トランスビュー）、『日本哲学の最前線』（講談社現代新書）、『人間の自由と物語の哲学――私たちは何者か』（トランスビュー）などがある。

永井玲衣（ながい・れい）

1991年生まれ。学校・企業・寺社・美術館・自治体などで哲学対話を幅広く行っている。哲学エッセイの連載なども手がける。独立メディア「Choose Life Project」や、坂本龍一・Gotch主催のムーブメント「D2021」などでも活動。著書に『水中の哲学者たち』（晶文社）がある。

森岡正博（もりおか・まさひろ）

1958年高知県生まれ。東京大学助手、国際日本文化研究センター助手、大阪府立大学現代システム科学域教授を経て、現在、早稲田大学人間科学部教授。哲学、倫理学、生命学を中心に、学術書からエッセイまで幅広い執筆活動を行なう。著書に『無痛文明論』（トランスビュー）、『決定版　感じない男』（ちくま文庫）、『生まれてこないほうが良かったのか？――生命の哲学へ！』（筑摩書房）、『人生相談を哲学する』（生きのびるブックス）ほか多数。

生きることの意味を問う哲学　森岡正博対談集

2023年4月 6 日　第1刷印刷
2023年4月21日　第1刷発行

著　者　森岡正博（もりおかまさひろ）

発行者　清水一人
発行所　青土社
〒101-0051　東京都千代田区神田神保町1-29　市瀬ビル
電話　03-3291-9831（編集部）　03-3294-7829（営業部）
振替　00190-7-192955

印　刷　双文社印刷
製　本　双文社印刷

装　幀　佐野裕哉

ISBN978-4-7917-7541-5
Printed in Japan